文粹

楊守敬題

光緒庚寅秋
九月杭州許
氏榆園校刊

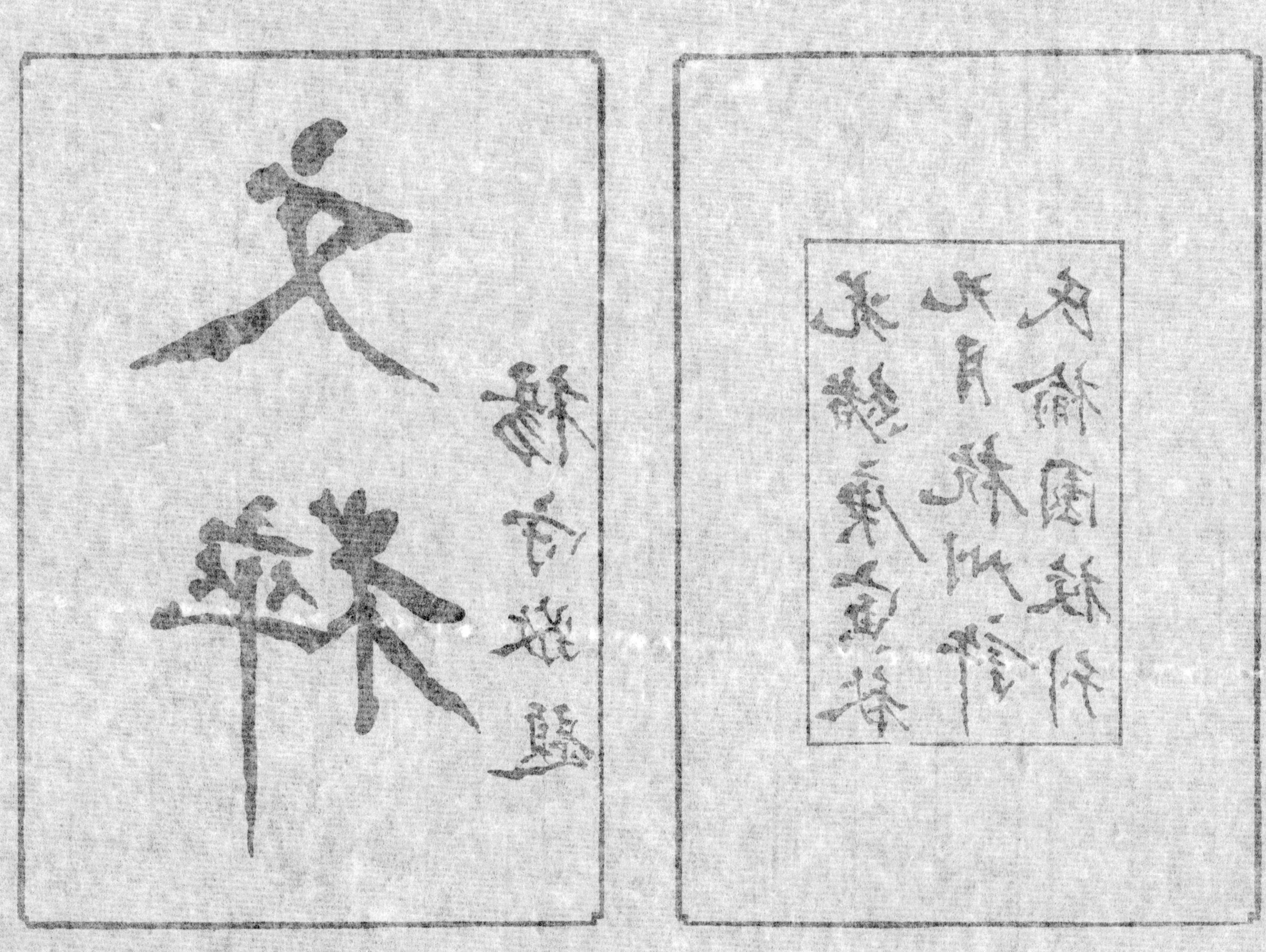

文粹卷第八十九

吳興　姚鉉　纂

書十一　總一十三首

激發

哀鳴

忿恚

上崔相公書　吳武陵

月日謹白書相公閣下昔者獲侍坐於東掖竊聞餘論吾之行己略無遺事獨未能舉賢士大夫於朝為恨耳武陵誠愚不覺竊抃以為明哲之達必將與人同然猶恨爾時相公未得行其志今者鎔鑄生人鼓篋羣物九牧之士傾耳而聽拭目而視以為舉善黜惡大堯之功相公亦塞其望乎昔者管夷吾致隰朋甯戚東郭牙賓胥無王子成於桓公分職其務且曰欲理國者則五子存焉如將霸王則夷吾在焉蓋不欲專其能也先相國居位旬朔而所舉者亦數十百人今不知相公所舉阿誰所黜阿誰自秋徂春非特

旬朔豈天地無其人耶將相公有所待耶或則曰明主春秋鼎盛方有所好升平之晝未可爲也此又常人之論無足徵者夫人君病無所好苟有所好何爲不可假若主好畋獵則正人其無畋獵者乎主好宴遊正人其無蹵踘拔河者乎因好而致事將潛化或以歌謠進或以烹飪來相公詎謂不然乎今兩河餘寇條貫未得北虜踞慢西戎猖蹶三關可收五城可理河壖可田運漕可罷相公豈獨遺此而優游廊廟更以歲月取賢相之位然後旄鉞而出鎮乎生人可憐勳業可惜伏惟相公越羣士之胸臆姑爲躊躇天下幸甚始從北來得邊隅之事謹條別狀輕瀆嚴重武陵再拜

再答張僕射書　柳冕

辱還答知朝廷之事事無小大難易一切言之言之輒從乃中變故吾子言有進退之心誤矣夫言之不入諫而怒之國之患也言之輒從從而中變是可諫也又何患乎故下之說上患其志不固不患無時謀合於天卽天爲之時謀合於人卽人爲之時天且不違況於人乎伊尹負鼎俎五說干湯其道乃行天爲之時也商鞅以彊國三說孝公其功乃立人爲之時也譬如爲山累土過於九仞然後功就苟待天時功不成矣愚公者志欲移山必能移山故天地之心與人不遠人能感天在於心耳昔犬戎滅周申甫復之無知亂齊管仲霸之晉室中絕王導興之太平干紀姚宋拯之彼謀之如神卽用之如神故賢人君子匡救時運有其才必有其志有其言必有其事事至而退君子不爲今一言未行其志乃衰是無志也故君子白刃可蹈也鼎鑊可赴也其志不可奪也今有其位有其時一不動再言之再不動三四言之卽天地可動況於人乎天地氣合卽君臣氣合又何患乎冕白

上韋右丞書　劉軻

右丞閣下某竊伏下風有年矣布衣儒冠讀書耕田焦勞形神求古人道不爲不多其閱今之事極耳目之聞見亦以半古之道參乎其心者也行之於古旣如彼踵之於今又如此固不必揲乎蓍

灼乎龜而卜筮行乎其中矣小生敢欲首天下之忠激敢言之士輒試貢心中事以當閤下閤下知一士之進退關天下之去就今天下白屋之士有角立秀出者或能以黃老言或能以儒術言或能以刑法言思願吐一奇設一策使司化源者開目而見四方之事閤下知天下亦盡人乎有是人無其時與無是人同有其言而不行其所以言與無言同此所以理代寡而升平之運不可得而至也古之大臣不惟諫君人亦諫君亦諫故曰惟尹躬暨湯咸有一德此所以開聖聽而達天視也昔貞觀初天下注心於房魏而太宗果爲堯舜開元中天下注心於姚宋玄宗幾如太宗今閤下之車轍馬跡相去俯無尺寸天下之注心於閤下聚手而指以爲提持大柄在閤下掌握中耳閤下知人意參於天意耶先天而天弗違則其古之相天下者其道不同及其成功一也昔漢孝惠時有若曹丞相以黃老施化而天下清淨孝武時有若公孫弘以儒術御世而天下亦治孝宣時有若魏邴者以刑法檢下實號中興

閤下必欲爲黃老而館舍下有膠西蓋公耶必欲爲儒術而門下有平津之客耶必欲爲刑法而與言者有溫舒于公耶此三者在閤下所嗜而行之耳夫橫一木而棟明堂者其力固多然其下有柱柱下有石石下有土積三物而棟力成焉故太玄曰崔嵬不崩羣土彊此明上下節級有扶持之道也今人之望閤下挺一身而棟天下必矣抑不知棟下之柱者誰乎柱下之石土者誰乎此小生汲汲於私心誠在此也某每病比來之欲爲丞相者馴致其道積人之望使必曰某公必爲宰相白麻未及下而門已扃鐍其此豈謂導萬物之情狀達一人之聰明耶且一人之耳待宰相而聰之一人之目待宰相而明之宰相之耳目亦資天下之士且曰是何賢於我其言亦何補焉此穀梁子所謂上暗下聾也某嘗試論之天下之形聲雖離婁師曠故不能周視偏聽矧閉目掩耳而欲達天下之視聽不亦難哉故曰耳目在天下聰明在宰相故堯所以寄耳目於舜禹時謂聰明文思之后爲脫不以天下爲聰明某

不知其然此亦閤下之所醜聞也故某所徵前事而言之意者實欲閤下踐其地使今之談者曰房魏道在吾君必爲太宗矣區區下情輒以此貢心焉伏惟宥其愚而捨其所持意恩幸某恐懼再拜

與田將軍書　獨孤郁

天子賞將軍之勳自裨校領十萬軍卒給麾幢節符佩黃金印者數四廟祖于京開東第駟門號公侯家子弟姻族以將軍故皆爲好官將軍之勳名可謂盛矣美矣然某聞古人曰成功不久難處且物禁太盛昔者周公以至聖之德致太平之功以成王幼少不忍而去召公有不悅色何者勢偪不能無嫌故也夫以聖處猶難況非聖哉故范蠡留侯知其然去之而遠害昔者李斯爲秦破山東從禽諸侯尊秦爲天子秦皇以爲丞相任事秦廷之貴惟斯耳斯知盛滿不行卒爲秦禽韓信爲漢誅趙魏破齊楚尊漢爲天子漢裂土封王于荆漢將之貴惟信耳信不知降挹一旦蜚言被疑

卒受呂氏之誅彼二子可謂巧於爲人拙於爲身故二子始有周呂勳卒受參夷誅何則由務進而不知退故今上封足下爲公爲王爲十萬戶侯傳子襲孫居爲夔爲龍出爲桓爲文且令召公無不悅色足下豈不賢於周公哉夫今之遊宦者辛勤數千萬言得一官俸不過三二萬數從僕不過一二人滿當罷戀戀不欲去豈非顧其利耶況夫遭時變即據千里土權殺生柄不覺炎燠更變歌童侍兒俳優不離前爲樂萬方以娛情惟恐其不歡無纖憂能鑽其胸豈不願留之耶顧其勢不可是以去故堯讓天下而長有天下孫叔敖不悔去者三願將軍無受吳張玄之說納馬援鄒陽之策思留侯陶朱之舉悟韓信李斯之惑立竇融河西之績覽郭馬李高數賢之事稽叔敖三去之美昔蔡澤之說范睢也引鞅起種以繫奪其位睢受說而歸相讓澤非不知澤情而受市也蓋審理必然今某來非縱橫時豈澤之徒歟既非奪位而來又豈欲貽口銜世直以惜賢人之業耳惟將軍無猜焉

移陸司勳沔書

歐陽秬

月日歐陽秬移書郎中閣下夫百女蕩一女貞蕩者紛然爲貞者笑脫使貞者始貞而後蕩奈百八之笑一人耶嗚呼一之笑百[illegible]有比恥於一人而已百之笑一一者舉目無比其如恥何伏惟閣下少垂聽覽秬在閩中時聞閣下之名十年矣及來京師又逾一紀嘗期閣下不出則若南陽劉子驥會稽謝慶緒出則如蜀孔明殷傅說不然亦如賈誼朱雲之徒庶幾於直道也今皇帝起閣下爲郎閣下俁俁而來秬謂斯來也嚮數年有見必言有聞必論日復一日僅三百日矣豈九牧之民皆治矣無有術耶四夷之患皆平矣無有策耶天下之無賢者不可舉耶天下之無倖者不可黜耶天下之無贓者不可劾耶天下之無冤者不可雪耶天下之無屈者不可伸耶天下之無驕者不可誡耶既無所聞又無所見則樂堯舜之道讀周孔之書劉驎之謝敷斯人也閣下亦斯人也豈徒鼓動以朝廊餐而退是何前倨而後恭若彼始貞而後蕩如此且一之笑百雖有比也正今百人之反笑矣閣下欲何比焉夫名利之心不可卷正直之心亦不可轉秬謂閣下今之爲不及昔時不爲明矣且逢萌不挂冠孰有萌耶孫楚不漱石孰有楚耶閣下始心爲直苟在爲郎國家有明經進士史傳諸科孰不郎也後達者雖在閣下之左先達者果在閣下之右秬所謂爲郎不若不爲蓋悲閣下身未死而名已滅雖然尚有可復之計何者閣下有所見勿惜其位而言有所聞勿顧其身而論論或不行言或不用則乞骸歸去斯謂可復之計也已矣吳越暖景山川如繡鱸鱠純羹放歌長嘯夫如是永爲陸司勳庶幾乎不朽伏惟念之秬再拜

與李漵拾遺書

盧坦

八月三日坦頓首奉書拾遺公足下抱濟世之資抗出塵之蹟德全道備雲臥谷飲遺名而聲飛晦耀而光發天子所以聞風下詔命作諫臣朝野聳瞻煙蘿動色足下懷寶樂山竟未爲蒼生起實一代之孤風千年之曠躅不可得而累也坦器凡材薄猥賤班榮

鎮守宣池路出瀍洛眺嵩峯之峻極仰景行之彌高吟想徽猷寤寐饑渴幸甚幸甚雖未獲拜面而舍弟嘗師習於左右矣飽聞足下之高義竊承足下詠堯舜之言志周孔之道以致君惠人爲意非特熊經鳥伸長往而不返者也甚善甚善然則孔氏之道不險小官不榮大位於是宰中都而魯國化作相而天下服世衰運微其道中阻猶且歷國應聘窮塞而後止今天下歡康與衰周之代也萬方一統非列國之時也而足下猶獨超然高舉不答天子之命豈孔氏之徒歟愚竊惑焉大凡今之人奔分寸之祿走絲豪之利如羣蟻之附腥膻聚蛾之投爝火取不爲醜貪不避死得以爲榮失以爲辱不由道以進退不量能以授受如此者多有識知病足下豈不欲矯棄流俗獨爲君子哉誠志士之端操賢人之大業也敢不愛慕之乎或聞足下又以蒲輪玄纁郡府之禮不到遂徘徊山門未果輕去難進之道三揖爲宜在足下俟駕而行斯可矣餘復何可道哉少許茶果謹具別紙公程迫速不獲拜詣馳誠

而已不具盧坦白

移成均博士書　　皮日休

夫居位而愧道者上則荒其業下則偷其言業而可荒文弊也言而可偷訓薄也故聖人懼是寖移其化上自天子下至子男必立庠以化之設序以教之猶歉然不足士有業高訓深必誥禮以延之越爵以貴之俾庠聲序音玲瓏於珩珮鏘訇於金石此聖人之至治也今國家立成均之業其禮盛於周其品廣於漢其誥禮越爵又甚於前世而未免乎愧道者何哉夫聖人之爲文也爲經約乎史贊易近乎象詩書止乎刪禮樂止乎定春秋止乎修然六籍儀形乎千萬世百王更命迭號莫不由是大也其幽幽於鬼神其妙妙於玄造後之人苟不得行（胡郎反）決句釋者猶萬物但被玄造之化者耶故萬物但化而已不知玄造之源也夫六藝之於人又何異於是故詩得毛公書得伏生易得田何禮得二戴周官得鄭康成槻其徽言錄其大義幽者明於日月奥者廓於天地然則今

之講習之功與決釋之功不啻半矣其文得不弊乎其訓得不薄乎嗚呼西域氏之教其徒日以講習決釋其法爲事吾之視太學又足爲西域氏之羞矣足下出文閫生學世業精前古言高當今洸洸乎洋洋乎爲諸生之首尪作後來之繇絶得不思居其位者不愧其道處於職者不隳其業乎否則市（羅一作）大易負乘之譏招詩人伐檀之刺矣奚不日誠其屬月勵其徒年持六籍日決百氏俾諸生於聖典也洞知大曉猶駕車者必知康莊操舟者必知河海既若是矣執其業者精者進而墮者退公者得而私者失非惟大發於儒風抑亦不苟於祿位足下之道被於太學也其利可知矣果行是說則太華之石峨峨於成均之門者吾知不須於他人矣足下聽之無怨日休再拜

與濡顔上人書　沈亞之

上人足下辱書指問將望於僕人謂有解達可以爲梯進之級必慮過意幸聽畢說昔之有善鍛者火五金而別器一日化百狀而

智用不極然常薄產自窘弟子相率而笑之曰夫子之於業工矣然而市售之富不能當陶之饒何也對曰夫陶者淺勞而薄利與俗相用彼朝市而夕壞壞失其用復從而市之無虛日故能饒且吾之業搜矩而軸模及其成功與世終始彼四居之人又安能罄其室而市吾之工哉故當饑亞之悞學爲黃金鍛且已困矣上人無乃襲饑於此哉非敢自重誠以陷其所從耳幸熟慮焉亞之頓首

上李門下書（一作上門下李夷簡相公書）　柳宗元

某聞人有行三塗之艱而墜千仞之下者仰望於道號以求出過之者日千百人皆去而不顧能哀而顧之者不過攀木俯首深矉太息良久而去耳卒無可奈何然其人猶望而未止也俄而有若烏獲者持長綆千尋徐而過焉其力足爲也其器足施也號而不顧顧而曰不能則其人知必死於大壑矣何也是時不可過而幸過焉而又不追乎已然後知命之窮勢之極其卒呼憤自斃不復

望於上矣某曩者以齒少心銳徑行高步不知道塗之艱以陷大阨窮躓殞墜廢爲孤四日號而望者十四年(集注永貞元年至元和十三年)矣其不顧而去與顧而深矉太息者俱不足望爲然仰首伸吭張目而視曰庶幾乎其有異俗之心非常之力當路而垂仁者耶今乃閣下以仁義正直入居相位某實切撫心自慶以爲獲其所望故敢致其辭以聲其哀若又捨而不顧則知埋沈踣斃無復振矣伏惟閣下動心焉某得罪之由致謗之自以閣下之明其知之矣繁言蔓辭祇益爲瀆伏惟閣下念墜者之至窮錫烏獲之餘力舒千尋之綆拯千仞之艱致其不可遇之遇以卒成其幸庶號而望者得畢其誠無使呼憤自斃殁有餘恨則士之死於門下者宜無先焉生死通塞在此一舉無任戰汗隕越之至

上吏部裴侍郎書　駱賓王

四月一日武功縣主簿駱賓王謹再拜奉書吏部侍郎裴公執事易曰書不盡言言不盡意然則義在乎象非書無以達其微辭隱乎情非言無以筌其旨僕誠鄙人也頗覽前事每讀書見高堂九仞曾輿旣北向之悲積粟萬鍾季路有南遊之歎未嘗不廢書輟卷流涕霑襟何者情蓄於衷事符則感形潛於内迹應斯通是用布腹心瀝肝膽庶大雅含弘之量矜小人悃款之誠惟君侯察焉賓王一藝罕稱十年不調進寡金張之援退無毛薛之遊亦何嘗獻策干時高談王霸衒才揚己歷抵公卿不汲汲於榮名不戚戚於卑位葢養親之故也豈謀身之道哉不圖君侯忽垂過聽禮以弓招之恩任以書記之事擬人卽多慙阮瑀人幕則高謝郗超夫聶政荆軻刺客之流也田光豫讓烈士之分也咸以勢利相傾意氣相許尚且捐軀燕趙甘死秦韓今君侯無求於下官見接以國士正當陪麾後殿奉節前驅賈餘勇以求榮效輕生而報施所以逡巡於成命躊躇於從事者徒以夙遭不造幼丁閔凶老母在堂常嬰羸恙藜糗無甘旨之膳松檟闕遷厝之資撫躬存亡何心天地故寢食夢想噬指之戀徒深歲時蒸嘗崩心之痛罔極若僕者

[illegible]

上吏部裴侍郎書　駱賓王

四月一日武功縣主簿駱賓王謹再拜奉書吏部侍郎裴公執事

易曰書不盡言言不盡意然則意在乎文非書無以達其微辭隱

[illegible]

固名教中一罪人耳何面目以莅三軍之事乎況屬天倫之喪奄踰七月違膝下之養忽至三年而凶服之制將終哀痛之情未洩興言永慕舉目增傷夫怨於衷者哀聲可以應木石感於情者至性可以通神明故徐元直指亂一作心以求辭李令伯陳情以窮訴上以棄興王之佐命下以全奉親之篤誠而蜀主不以爲非晉君待之逾厚此二人者豈貪貧賤惡榮華厭萬乘之交甘匹夫之辱也蓋有不得已者哉儻有乾沒爲心脂韋成性捨慈親之色養許明主以驅馳內忘顧復之私外存傅會之眷薄骨肉厚榮寵苟背恩以自效則君侯何以處之且義士期乎貞夫忠臣出乎孝子旣不能推心以奉母亦焉能死節以事人假物議之無嫌寘吾斯之未信也況流沙一去絕塞千里子愴入塞之魂母切倚閭之望就令歡以卒歲仰南薰之不貲而使憂能傷人迫西山而何幾君侯情深錫類道叶天經明恕待人慈心應物儻矜犬馬之微願憫烏鳥之私情寬其負恩遂其終養則窮魂有望老母知歸賓王死罪再拜

代荀卿與楚相春申君書　劉軻

前蘭陵令臣況謹奉書於相國春申君足下前者不識事機冠宋章甫襲儒衣以廉輀駕羸驚應聘於諸侯始入秦見秦應侯會侯方以六國陷其君且曰吾方角虎以鬬又何儒爲故去秦之趙會孝成王喜兵法方築壇拜孫臏欲磨牙而西臣以湯武之兵鉗其口於前趙王亦不少孫臏而多臣臣以是去趙之齊會宣王方沽賢市名達諸侯閒人聚稷下若鄒子田駢湻于髡皆號客卿故臣得翺翔於諸子閒自威王至襄王三爲祭酒號爲老師然憫諸生少年皆不登闕里不浴沂水各掉寸舌得紆朱垂組自以爲高潔莫我若也臣以乳兒輩畜之何虞其蝎蠆之爲毒也由是讒言塞路臣之肉幾爲齊人所食伏念相君與平原孟嘗信陵齊名故游談者謂從成則楚王衡成則秦帝以相君之相楚故也不然楚何以得是名以是去齊歸相君相君果不以臣鄙固俾臣爲蘭陵令臣

始下車方弦琴調軫欲蘭陵之人心和且富既富且教必使三年有成然後報政於相君此臣效相君者希以是不意稷下之謗又起於左右俾臣之醜聲直聞於執事執事果亦疑棄臣如脫故屣臣之去蘭陵豈不知相君之棄臣耶臣尚念古者交絕不出惡聲臣慰楚而怨相君也哉頃相君徒欲人之賢己曾不知楚國前事臣不遠引三代洎春秋今雖戰國亦不敢以他事自道今楚國盛衰之尤者冀相君擇焉自重黎爲火正光融天下鬻熊有歸德教西伯弟子洎汾冒熊繹蓽路藍縷以啟荆蠻歷武文成始臣妾江漢至莊王始與中國爭伯此數君皆郢之祖宗而代亦稱臣之術（按而代句疑有誤）五尺童子羞稱五伯臣又何必獨爲相君道哉然楚君但成莊而已矣自莊而下楚亟不競平王嗣位耳目倒置伍奢以諫死費無極以讒用亡太子走昭王污楚宮鞭郢墓豈不以一讒而至乎爾下及懷王知左徒屈原忠賢始能付以楚政當諸侯盛以遊說交鬬猶以楚爲有人無何爲上官靳尙所短王怒疏屈平平既疏秦果爲張儀計陷楚之商於地儀計行秦果欺楚是以有藍田之役丹徒之敗懷王囚不出咸陽亡不越魏境客死而屍歸至今爲楚痛豈不曰疏屈平親靳尙而至于爾人亦謂令尹子蘭不得皭然無非己不能疾讒又從而借之俾屈生溺離騷爲之作襄王以前事歷月切骨雖有宋玉唐勒景差輩子弟賦風弔屈而已又何能免王於矢石哉今相君自左徒爲令尹封以號春申君楚於相君設不能引伍奢屈平以輔政復不能拒無極靳尙之口弭臣見泗上諸侯不北轅不來矣夫如是漢水雖深不爲楚塹方城雖高不爲楚險相君雖賢欲捨楚而安之也今有李園者世以諛媚薦寵喜以陰計中上根結枝布寖爲難拔相君若不以此時去之則王之左右前後不靳向則無極詎獨臣之不再用也前月相君聘至跪書受命且曰若惡若仇若善若師眞宰相之心脫李園□至費靳方試何害臣之不再罷蘭陵也哉敢輒盡布諸執事而無遂子蘭之非況之望也楚子之幸也

與吏部孫員外書　陳章甫

某叩頭伏地上書吏部員外孫公階戺伏惟拔英茁而佐明主奉盛德而居要路亦光天衢樹桃李之秋也僕非敢隱籍名實昨聞戶部檢報似有參差嗚呼雖有周孔之才無所施也鄙茲虛陋能勿非乎但僕一卧嵩邱二十餘載既不能學許由巢父務光伯成終至青雲高謝堯禹而乃棄藜杖脫草衣薦頌雲壇陪科岳牧此已孤負芝桂損辱高風矣若緣籍有誤蒙袂而歸亦何面目垂見見至如傅說無姓殷后致鹽梅之地屠羊隱名楚王延三旌之位未聞徵籍也范睢折脇於魏改名為張祿先生秦用之為相張良報讎變名姓而亡漢祖因之實取天下何必考名也是知善收賢者不以小瑕棄大美今若以籍名有誤便廢其人僕恐蔽賢之議在有司矣夫籍者所以編戶口計租稅耳本防羣小不約賢路若人有大才不可以籍棄苟亡其德雖籍何為謹案周禮卿大夫職曰國中自七尺以及六十皆征之其舍者為賢也貴也服公事也注舍謂若今復除其計耳所以優賢能也三歲則考其德行道藝羣吏獻賢能之書于王王再拜而受之登于天府鄭司農云若舉孝廉茂才由此觀之乃舉賢之餘事爾比來天下此道都喪無論賢貴宜被籍書所以風俗不滔賢能不勸由此故也公為官擇才務協於治典進賢輔政何拘於版圖且古之招賢降蒲輪束帛卑辭厚禮猶恐不來今乃坐徵籍書務在駁放此所謂嫉賢也若將古不足法謂時無賢才經邦致治非籍勿用於是僕也鞭骨自悔裹足而亡雖分國如錙銖終不敢望於臣仕也

上安州裴長史書　李白

白聞天不言而四時行地不言而百物生白人焉非天地安得不言而知乎敢剖心析肝論舉身之事便當談笑以明其心而麤陳其大綱一快憤懣惟君侯察焉白家本金陵世為右姓遭沮渠蒙遜之難奔流咸秦因官寓家少長江漢五歲誦六甲十歲觀百家

軒轅以來頗得聞矣常橫經籍詩書制作不倦迄于今三十春矣以爲士生則桑弧蓬矢射于四方故知大丈夫必有四方之志乃仗劒去國辭親遠遊南窮蒼梧東涉溟海見鄉人相如大誇雲夢之事云楚有七澤遂來觀焉而許相公家見招妻以孫女便憩蹟于此至移三霜焉曩昔東遊維揚不逾一年散金三十餘萬有落魄公子悉皆濟之此則是白之輕財好施也又昔與蜀中友人吳指南同遊於楚指南死於洞庭之上白禫服慟哭若喪天倫炎月伏屍泣盡而繼之以血行路聞者悉皆傷心猛虎前臨堅守不動遂權殯於湖側便之金陵數年來觀筋肉尚在白雪泣持刃躬申洗削裹骨徒步負之而趨寢興攜持無輟身手遂丐貸營葬於鄂城之東故鄉路遠魂魄無主禮以遷窆式昭朋情此則是白存交重義也又昔與逸人東嚴子隱於岷山之陽白巢居數年不跡城市養奇禽千計呼皆就掌取食了無驚猜廣漢太守聞而異之詣廬親覩因舉二人以有道並不起此則白養高忘機不屈之跡也

又前禮部尚書蘇公出爲益州長史白於路中投刺待以布衣之禮因謂郡寮曰此子天才英麗下筆不休雖風力未成且見專車之骨若廣之以學可以相如比肩也四海明識具知此談前此郡督馬公朝野豪彥一見盡禮許爲奇才因謂長史李京之曰諸人之文猶山無煙霞春無草樹李白之文清雄奔放名章俊語絡繹間起光明洞徹句句動人此則故交元丹親接斯議若蘇馬二公愚人也復何足陳儻其賢者也白有可尚夫唐虞之際於斯爲盛有婦人焉九人而已是知才難不可多得白野人也頗工於文惟君侯顧之無按劒也伏惟君侯貴而且賢鷹揚虎視齒若編貝膚如凝脂昭昭乎若玉山上行朗然映人而高義重諾名飛天京四方諸侯聞風暗許倚劒慷慨氣干虹蜺月費千金日宴羣客出躍駿馬入羅紅顏所在之處賓客成市故時人歌曰賓客何喧喧日夜裴公門願得裴公之一言不須驅馬將華軒白不知君侯何以得此聲於天壤之間豈不由重諾好賢謙以下士得也而晚節改

操棲情翰林天才超然度越作者屈佐郞國時惟清哉稜威雄雄下慴羣物白竊慕高義已經十年雲山間之造謁無路今也運會得趨末塵承顏接辭八九度矣常欲一雪心跡崎嶇未便何圖謗詈忽生衆口攢毁將恐投杼下客震於嚴威然自明無辜何憂悔吝孔子曰畏天命畏大人畏聖人之言過此三者鬼神不害若使事得其實罪當其身則將浴蘭沐芳自屛於烹鮮之地惟君侯死生不然投山竄海轉死溝壑豈能明目張膽託書自陳耶昔王東海問犯夜者曰何所從來答曰從師受學不覺日晚王曰吾豈可鞭撻甯越以立威名想君侯通人必不爾也願君侯惠以大遇洞開心顏終乎前恩再辱英盼白必能使精誠動天長虹貫日直度易水不以爲寒若赫然振威加以大怒不許門下逐之長途白即膝行於前再拜而去西入秦海一　觀國風永辭君侯黃鵠舉矣何王公大人之門不可以彈長劍乎

文粹卷第八十九

文粹卷弟九十　　　　　　　　　吳興　姚鉉　纂

書十二 總九首

切磋

別令狐綯拾遺書 李商隱

答崔立之書 韓愈

重與陸賓虞書 劉軻

與陶進士書 李商隱

答侯高第二書 李翺

規誨

寄從弟正辭書

與外孫崔氏二孩書 李華

貽諸弟砥石命 舒元輿

諭

諭江陵耆老書 劉蛻

別令狐綯拾遺書　　　　　　　　李商隱

子直足下行日已定昨幸得少展寫足下去後憮然不怡今早垂致葛衣書辭委曲惻惻無已自昔非有故舊援拔卒然於稠人中相望見其表得所以類君子者一日相從百年見肺肝爾來足下仕益達僕困不動固不能有常合而有常離足下觀人與物共此天地耳錯行雜居蟄蟄哉不幸天能恣物之生而不能與物慨然量其欲牙齒者恨不得翅羽角者又恨不得牙齒此意人與物略同耳有所趨故不能無有所爭故不能不於同中而有各異耳足下觀此世其同異如何哉兒冠出門父翁不知其枉正女笄上車夫人不保其貞污此於親親不能無異勢也親者尚爾則不親者惡望其無隙哉故近世交道幾喪欲盡足下與僕於天獨何稟當此世生而不同此世每一會面一分散至於慨然相執手嚬然相慼決然相泣者豈於此世有他事哉惜此世之人率不能如吾

之所樂而又甚懼吾之徒子立寡處而與此世者蹏尾紛然蚍吾之白擯置譏誹襲出不意使後日有希吾者且懲吾困而不能堅其守乃捨吾而之他耳足下知與此世者居常紿於其黨何語哉必曰吾惡市道嗚呼此輩眞手搔鼻皺而喉噦人之灼瘢爲癩者市道何肯如此輩耶今一大賈坐墆貨中人人往須之甲得若干曰其贏若干丙曰吾索之乙得若干曰其贏若干戊曰吾索之既與之則欲其蕃不願其亡失口舌拜父母出妻子伏臘相見有贄男女嫁娶有問不幸喪死有致饋葬有臨送弔哭是何長者大人哉他日甲乙俱入之不欺則又愈得其所欲矣回環出入如此是終身欲其蕃不願其亡失口舌拜父母益嚴出妻子益敬伏臘相見贄益厚男女嫁娶問益豐不幸喪死饋贈臨送弔哭情益悲是又何長者大人哉唯是於信誓有大欺漫然後罵而絕之擊而逐之訖身而勿與通也故一市人率少於大賈而不信者此豈可與此世交者等耶今日亦肝腦相憐明日眾相唾辱皆自其時之與

勢耳時之不在勢之移去雖百仁義我百忠信我我向不顧矣豈不顧已而又唾之足下果謂市道何如哉今人娶婦入門母姑必祝之曰善相宜前祝曰蕃息後日生女子貯之幽房密寢四鄰不得識兄弟以時見欲其好不顧性命即一日可嫁去是宜擇何如男子屬之耶今山東大姓家非能違摘天性而不如此至其羔鵞在門有不問賢不肖健病而但論財貨恣求取爲事當其爲女子時誰不恨及爲母婦則亦然彼父子男女天性豈有大於此者耶今尚如此況他舍外人燕生越養而相望相救抵死不相販賣哉紬而繹之眞令人不愛此世而欲狂走遠颺耳果不知足下與僕之守是耶非耶首陽之二子豈蘄盟津之八百吾又何悔焉千百年下生人之權不在富貴而在直筆者得有此人足下與僕當有所用意其他復何云云但當誓不羞市道而又不爲忘其素恨之母婦耳商隱再拜

答崔立之書　韓愈

斯立足下僕見險不能止動不得時顛頓狼狽失其所操持困不知變以至辱於再三君子小人之所憫笑天下之所背而馳者也足下猶復以爲可教貶損道德乃至于筆以問之扳援古昔辭義高遠且進且勸足下之於故舊之道得之矣雖僕亦固望於吾子不敢望於他人者耳然尚有似不相曉者非敢欲發余乎不然何子不以丈夫期我也故不能默默輒復自明僕始年十六七時未知人事讀聖人之書以爲人之仕者皆爲人耳非有利乎已也及年二十時苦家貧衣食不足謀於所親然後知仕之不惟爲人耳及來京師見有舉進士者人多貴之僕誠樂之就求其術或出禮部所試詩賦策等以相示僕以爲可無學而能因詣州縣求舉有司好惡出於其心四舉而後有成亦未即得仕聞吏部有以博學宏辭選者人尤謂之才且得美仕就求其術或出所試文章亦禮部之類也私怪其故然猶樂其名因又詣州府求舉凡二試於吏部一既得之而又黜於中書雖不得仕人或謂之能焉退自取所試讀之適類於俳優者之辭顏忸怩而心不寧者數月既已爲之則欲有所成就書所謂恥過作非者也因復求舉亦無幸焉乃復自疑以爲所試與得之者不同其程度及得觀之余亦無甚愧焉夫所謂博學者豈今之所謂者乎夫所謂宏辭者豈今之所謂者乎設使古之豪傑之士若屈原孟軻司馬遷相如揚雄之徒進於是選僕必知其懷慚乃不自進而已耳設使與夫今之善進取者競於蒙昧之中僕必知其辱焉然彼五子者且使生於今之世其道雖不顯於天下其自負如何哉肯與夫斗筲者決得失於一夫之目而爲之憂樂哉故凡僕之汲汲於進者其小得蓋欲以具裘葛養窮孤其大得蓋欲以同吾之所樂於人耳其他可否自計已熟誠不待人而後知今足下乃復比之獻玉者以爲必俟工人之剖然后見知於天下雖兩刖足不以爲病且無使勍者再剋誠足下相勉之意厚也然仕進者豈舍此而無門哉足下謂我必待是而後進者尤非相悉之辭也僕之玉固未嘗獻而足固未嘗刖足

下無爲我戚戚也方今天下風俗尚有未及於古者邊境尚有被甲執兵者主上不得怡而宰相以爲憂僕雖不賢亦且潛究其得失致之乎吾相薦之乎吾君上希卿大夫之位下猶取一障而乘之若都不可得猶將耕於寬閒之野釣於寂寞之濱求國家之遺事考賢人哲士之終始作唐之一經垂之於無窮誅奸諛於既死發潛德之幽光二者將必有一可足下以爲僕之玉凡幾獻而足凡幾刖也又所謂勍者果誰哉再剋之刑信如何也士固信於知己微足下無以發吾之狂言愈再拜

重與陸賓虞書　劉軻

別韶卿已逾時雖遊處讌賞不接然予心未嘗一日去韶卿也且京洛相去八百里足以絕韶卿車轍馬跡矧又自洛南而東涉淮浮江沿洞數千里安得不悒悒西望耶比予在輦下五六年始不知韶卿及知韶卿兩心始親而形骸已相遠苟未能忘情忍不酸鼻出涕爲吾友之思耶前陸掾來得韶卿書知韶卿欲屈道以從

人求京兆解送知韶卿道在與否固不在首解於京兆也愚嘗謂與遊者道韶卿膚未雞髮未鶴然其心甚老脫一旦脅肩低眉與諸子爭甲乙於縣官豈愚所謂甚老者耶韶卿曾不是思也愚所謂首出者謂四科首顏閔三十世家首太伯七十列傳首伯夷其爲首出豈不多耶韶卿不首於是而欲首於何哉僕又聞京兆等試試官知與否脫有知韶卿人聞鳥有不心躬默禮靈冠統以待之耶夫然亦何害小仲於知己耳不然則東國細臣西山餓夫微仲尼何傷爲展季伯夷矣韶卿獨不見既得者耶豈盡爲顏子太伯伯夷然幸韶卿熟思之無以予不食太牢爲不知味者也前月中雨寄狀計必有一達者過重陽當決策東去計韶卿無以予身遠而不予思也勉矣自愛策名春官後當會我於貟山

與陶進士書　李商隱

去一月多故不常在故屢辱吾子之至皆不覿昨又垂示東岡記等數篇不惟其辭彩奧大不宜爲冗慢無勢者所窺見且又厚紙

謹字如貢大諸侯卿士及前達有文章積學者何其禮甚厚而所
與之甚下耶始僕小時得劉氏六說讀之常得其語曰是非繫於
褒貶不繫於賞罰禮樂繫於有道不繫於有司密記之益嘗於春
秋法度聖人綱紀久羨懷藏不敢薄賤聯綴比次于書門詠非惟
求以為己而已亦祈以為後來隨行者之所師稟已而彼鄉曲所
薦入求京師又亦思前輩達者固已有是人矣有則吾將依之繫
輟出門寂寞往返其間數年卒無所得私怪之而比有相親者曰
子之書宜貢于某氏某氏可以為子之依歸矣即走往貢之出其
書乃復有置之而不暇讀者又有默而視之不暇朗讀者又有始
朗讀而中有失字壞句不見本義者進不敢問退不能解默默已
已不復咨歎故自大和七年後雖尚應舉除吉凶書及人憑倩作
牋啟銘表之外不復作文文尚不復作況復能學人行卷耶時獨
令狐補闕最相厚歲歲為寫出舊文納貢院既得引試會故人夏
口主舉人時素重令狐賢明一日見之于朝揖曰八郎之友誰最

善綯直進曰李商隱者三道而退亦不為薦託之辭故夏口與及
第然此時實於文章懶退不復細意經營述作乃命合為夏口門
人之一數耳爾後兩應科目者又以應舉時與一裴生者善復與
其挽拽不得已而入耳前年乃為吏部上之中書歸自驚笑又復
懊恨周李二學士以大法加我夫所謂博學宏辭者豈容易哉天
地之災變盡解矣人事之興廢盡究矣皇王之道盡識矣聖賢之
文盡知矣而又下及蟲豸草木鬼神精魅一物已上莫不開會此
其可以當博學宏辭者耶恐猶未也設他日或朝廷或持權衡大
臣宰相問一事詰一物小若毛甲而時脫有盡不能知者則號博
學宏辭者當其罪矣私自恐懼憂若囚械後幸有中書長者曰此
人不堪抹去之乃大快樂曰此後不能知東西左右亦不畏矣去
年入南場作判比於江淮選人正得不憂長名放耳尋復啟與曹
主求尉于虢實以太夫人年高樂近地有山水者而又其家窮弟
妹細累喜得賤薪菜處相養活耳始至官以活獄不合人意輒退

去將遂脫衣置笏永夷農牧會今太守憐之催去復任逕使不爲升斗汲汲疲瘵低傫耳然至於文字章句愈怗息不敢驚張常自兕願得時人曰此物不識字此物不知書是我生獲忠肅之謚也而吾子反般勤如此者豈不知耶豈有意耶不知則可有意則已虛矣然所以拳拳而不能忘者正以往年愛華山之爲山而有三得始得其卑者朝高者復得其揭然無附著而又得其近而能遠思欲窮搜極討灑豁襟抱始以往來番番不遂其願閒者得李生於華郵爲我指引巖谷列視生植僅得其半又得謝生於雲臺觀暮留止宿旦相與去愈復記熟後又得吾子于邑中至其所不至者於華之山無恨矣三人力耶今李生已得第而又爲老貴人從事雲臺生亦顯然有聞於諸公閒吾子之文粲然成就如是我不負華之山而華之山亦將不負吾子之三人矣以是思得聚會話既往探歷之勝至於切磋善惡分擘進趨僕此世固不待學奴婢下人指誓神佛而後已耳吾子何所用意耶明日東去既不得面

寓書惘惘九月三日弘農尉李某頓首

答侯高第二書

李翱

足下復書來會與一二友生飲酒甚樂故不果以時報三讀足下書感歎不能休非足下之愛我甚且欲吾身在而吾道光明也則何能開難出之辭如此之無憂乎前書所以不受足下之說而復闢之者將以明吾道也吾之道非一家之道是古聖人所由之道者也吾之道塞則君子之道消矣吾之道明則堯舜禹湯文王孔子之道未絕於地矣前書若與足下混然同辭是宮商之一其聲音也道何由而明哉吾故拒足下之辭知足下必將憤予而復其辭也足下再三教我適時以行道所謂時也者乃仁義之時乎將沈浮之時乎苟仁且義則吾之道何所屈焉爾如順沈浮之時則是乘流望風而高下焉苟如此雖足下之見我且不識矣況天下乎不脩吾道而取容焉其志亦不遐矣故君子非仁與義則無所爲也如有一朝之患古一作故君子則不患也吾之道學孔子者也

蓋孔子畏于匡闘于蒲伐樹於桓魋逐於魯絶糧于陳蔡之閒夫孔子豈不知屈伸之道耶賢不肖在我者也貴與富貧與賤道之行否則有命焉君子正已而須之爾雖聖人不能取其容焉故孔子謂子路子貢曰詩云匪兕匪虎率彼曠野吾道非耶吾何爲於此子路對曰意者吾未仁且智耶而人之不我信與行也子曰有是乎使仁者而必信安有伯夷叔齊使智者而必行安有王子比干子貢對曰夫子之道至大故天下莫能容盍少貶夫子之道子曰良農能稼而不能爲穡良工能巧而不能爲順君子能修其道綱而紀之統而理之而不能爲容爾不修爾道而求爲容賜也而志不遠矣謂顏回如謂由賜顏淵對曰夫子之道至大故天下莫能容雖然推而行之不容何病夫道之不修也是吾醜也道既已大修世而不用是有國者之醜也不容何病不容然後見君子孔子蓋歎之也以孔子門人三千其聖德如彼之至也而知孔子者獨顏回爾其他皆學焉而不能到也然則僕之道天下人安能信而

行耶足下之言曰西伯孔子何等人也皆以柔氣汚辭同用明夷也以避禍患斯人豈浮世耶人乎夫西伯聖人也羑里之拘僅不免焉孔子聖人之大者也其屈厄如前所陳惡在其能取容於世乎故曰危行言遜所以遠害也其道則爾其能遠之與否而必容焉則吾不敢知也非吾獨爾孔子亦不知也僕之道窮則樂仁義而安之者也如用焉則推而行之于天下者也何獨天下哉將後世之人大有得於吾之功者爾天之生我也亦必有意矣將欲愚生民之視聽乎則吾將病而死尚何能伸其道也如欲生民有所聞乎則吾何敢辭也然則吾道之行與否皆運也吾不能自知也天下人安能害於我哉足下又曰吾子夷齊之道也如僕向者所陳亦足以勉矣故不復有所說若韓孟與吾子之於我心故知我者也苟異口同辭皆如足下所說是僕於天下衆多之人而未有一知己也安能動於吾心乎吾非不信子之云云者也信子云云則於吾道不光矣吾欲默默則道無所傳云爾子之道子宜自行

之者也勿以誨我

寄從弟正辭書

知汝京兆府取解不得如其所懷念勿在意凡人之窮達所遇亦各有時爾何獨至于賢丈夫而反無其時哉此非吾徒之所憂也其所憂者何畏吾之道未能到于古之人爾其心既自以爲到且無謬則吾何往而不得所樂何必與夫時俗之人同得失憂喜而動於心乎借如用汝之所知分爲十焉用其九學聖人之道而知其心使有餘以與時世進退俯仰如可求也則不啻富且貴矣如非吾力也雖盡用其十祇益勞其心爾安能有所得乎汝勿信人號文章爲一藝夫所謂一藝者乃時世所好之文或有盛名於近代者是也其能到古人者則仁義之辭也惡得以一藝而名之哉仲尼孟軻歿千餘年矣吾不及見其人吾能知其聖且賢者以吾讀其辭而得之者也後來者不可期安知其讀吾辭也而不知吾心之所存乎亦未可誣也夫性於仁義者未見其無文也有文而能到者吾未見其不力于仁義也由仁義而後文者性也由文而後仁義者習也猶誠明之必相依爾貴與富在乎外者也吾不能知其有無也非吾求而能至者也吾何愛而屑屑於其間哉仁義與文章生乎內者也吾知其有也吾能求而充之者也吾何懼而不爲哉汝雖性過於人然而未能浩浩其心吾故書其所懷以張汝且以樂言吾道云爾

與外孫崔氏二孩書　李華

八月十五日翁告崔氏之子兩孩省吾出身入仕行四十年晚有汝母已養汝二人矣吾逮事裴氏鄭氏崔氏諸姑于氏堂姑皆賢明淑哲爲內外師範意欲與汝言之裴氏姑恩慈見吾一善未嘗不流涕祝吾成立見吾伯仲書題誨責疏略話及舊事云無此例吾伯仲書題比今日中外書題其閒疏密不啻百十也吾小時猶省長幼每日兩時櫛盥起居尊行三時侍食飲食訖然後敢食猶責不如禮今者諸子日出高眠爭覽盤器何曾有此儀可爲歎息

世教如此何得不亂婦人亦要讀書解文字知古今情狀事父母舅姑然可無咎詩序云哀窈窕思賢才而無傷善之心焉是關雎之義也易曰主中饋無攸遂婦人但當主酒食待賓客而已其餘無自專之禮詩云將翱將翔佩玉瓊琚此奉舅姑助祭祀之儀也又曰將翱將翔弋鳧與雁此主酒食待賓客之儀也禮經所載汝其記之又婦人將嫁三月教於公宮祖廟既毀教於宗室嫁則廟見不見廟者不得爲婦今此禮淩夷人從苟且婦人尊於丈夫羣陰制於太陽世教淪替一至於此可爲隳淚汝等當學讀詩禮論語孝經此最爲要也吾小時南市帽行見貂帽多帷帽少當時舊人已歎風俗中年至西京市帽行乃無帷帽貂帽亦無男子衫袖蒙鼻婦人領巾覆頭向有帷帽羃䍠必爲瓦石所及此乃婦人爲丈夫之象丈夫爲婦人之飾顛之倒之莫甚于此𨥁類而長不可勝言舉其一端告及汝耳勿謂幼小不遵訓誡所見所聞積風敗俗故申明舊事不能一一也阿馬來說汝誦得數十篇詩賦麗麗

已能承順十五姊顏色十七伯極鍾念吾旅病乍聞甚慰意凡人不患尊行不慈訓患身不能承順耳汝承十五姊仁慈十七伯訓誘又質性柔順當不扶自直吾所告者括羽汝耳不次翁告崔氏二子省

貽諸弟砥石命　舒元輿

昔歲吾行吳江上得亭長所貽劒心知其不莽鹵匣藏愛重未曾褻視今年秋在秦無何發開見慘翳積蝕僅成死鐵意慙身將利器而使其不光明之若此常緘求淬磨之心於胸中數月後因過岐山下得片石如淥水色長不滿尺闊厚半之試以手磨理甚膩文甚密吾意其異石遂攜入城問於切磋工工以爲可爲砥吾遂取劒發之初數日浮埃薄落未見快意意工者相紿復就問之工曰此石至細故不能速利堅鐵但積漸發之未一月當見眞貌歸如其言果覩變化蒼慘剝落若青蛇退鱗光勁一水涵泳星斗持之切金錢三十枚皆無聲而斷愈始得之利數十百倍吾因歎以

爲金剛首五材及爲工人鑄爲器復得首出利物以剛質鈍利苟蹔不砥礪尚與鐵無以異況質柔鈍鈍而又不能砥礪當化爲糞土耳又安得與死鐵倫齒耶以此益知人之生於代苟不病盲聾瘖啞則五常之性全性全則豺狼燕雀亦云異矣而或公然忘棄礪名砥行之道反用狂言放情爲事蒙蒙外埃積成垢惡日不覺寤以至於戕正性賊天理生前爲造化剩物歿復與灰土俱委此豈不爲辜負日月之光景耶吾常觀汝輩趨嚮爾誠全得天性者況夙能承順嚴訓皆解甘心服食古聖人道知其必非雕缺道義自埋於偷薄之倫者然吾自干名在京城兔魄已十九晦矣知爾輩懼旨甘不繼困於薪粟日匃於他人之門吾聞此益悲此身使爾輩承順供養至此亦益憂爾輩爲窮窶而斯須忘其節爲苟得眩惑而容易徇於人爲投刺牽役而造次惰其業日夜憶念心力全耗且欲書此爲戒又慮爾輩年未甚長成不深諭解今會鄂騎歸去遂寘石於書函中乃筆用砥之功以寓往意欲爾輩定持剛質晝夜淬礪使塵埃不得間髮而入爲吾守固窮之節慎臨財之苟積習肄之業上不貽庭闈憂次不貽手足病下不貽心意愧欲三者不貽祗在爾砥之而已不關他人若砥之不已則嚮之所謂切金涵星之用又甚瑣屑安足以諭之然吾固欲爾輩常置砥於左右造次顛沛必於是思之亦古人韋弦銘座之義也因書爲砥石命以歆爾輩兼刻辭於其側曰

劒之鍔砥之而光人之名砥之而揚砥乎砥乎爲吾之師乎仲兮季兮無墜吾命乎

諭江陵耆老書　劉蛻

太原王生嘗移耆老書以江陵故楚也子胥親逐其君臣夷其墳墓且楚人之所宜怨也而江陵反爲之廟世饗其讎謂耆老而忘其君父也吾以爲不然楚人之性僄悍大能復其仇讎其後自懷王入武關楚人怨秦不忘干戈況其人之性能忘胥之所以破其國家而事之乎且令江陵之人牽牛羊而祀其廟者將祈年穀而

獲凶荒禱疾病而得死亡者乎如厚其饎而虛其報則江陵知胥之不可祀而不祀矣若果祈年穀而得豐穰禱疾病而獲康彊有其饎而尋其報則破人之國而居其上辱人之君而受其饗遇一食而自忘楚人之殺其父兄則胥自爲無勇也何獨江陵之人而忘胥讎乎吾以爲其廟申包胥之廟也包胥有復楚之功年代寖遠楚人以子胥嘗封諸申故不謂包胥耳不然則子胥何爲饗人之食而江陵何爲事讎人之神乎耆老得書速易其服曰申胥之廟無使人神皆愧耳

文粹卷弟九十

文粹卷弟九十一

吳興 姚鉉 纂

序一 總九首

集序

唐金紫光祿大夫禮部尚書上柱國贈尚書右丞相許國文憲公蘇頲文集序

韓休

易有四象有天文焉有人文焉所以察時變而觀化成也詩有六義有小雅焉有大雅焉所以陳國風而美王政也文之時用其肇於茲自長發禘般正考述其典在坰頌爲史克明其訓由是比興繼作風流彌繁黃竹白雲垂芳於帝籍楚蘭班素作麗於辭人莫不究性情之微合風騷之旨吟詠先王之澤光昭正始之宗故情發於中而申之以歌詠文生於情而飾之以辭采所以立言會友感物造端藻暢穠纖導揚隱伏潤彼金石流于管弦以告其成功而懿我文德者也嗚呼斯文未喪命世軰興發揮造化之微鼓動江山之氣轔轢前古昭彰後葉疇克有之則尚書許公應運而挺生矣公四代相門十卿崇構海域挹其軒冕搢紳推其軌儀夫其

導源錫胤之慶克家屏宗之美論道布政之典推誠立節之效並以勤於豐碑紀在良史此則略而不言焉公神秀頴發自然生知五歲便措意於文每坐臥吟諷未嘗暫輟至于八九歲則有若大成焉一覽誦千言有若素習十七遊太學對策甲科振鱗溟渚濯羽弱泉海內重林宗之名朝廷藉賈生之譽矣時吏部侍郎馬載名知人見公歎曰蘇生一日千里王佐才也後因選集時屬糊名考判公與朱璟俱入殊等由是天下益稱焉公任御史時兩臺有送別四韻詩四十餘首試令公誦之一徧倒覆之遂不錯一字其敏悟也如此公任起居郎屬考功員外郎闕時中書令李嶠執筆曰考功郎非蘇君莫可遂拜考功員外郎遷給事中特制授修文館學士遷中書舍人專知制誥僉議允歸制命勑書皆出自公手筆不停輟思無所讓及是見君深所歎伏焉今上嘗謂公曰朕每見卿文章與諸人尤異當令後代作法豈惟獨稱朕心及東封詔公撰朝覲壇頌加金紫光祿大夫與一子官賞能也公性與道合

神無滯用惟深也總眾妙之門惟才也體生人之秀若乃學以聚之問以辯之括囊道藝之場探賾幽微之數至若拘戈考篆詹鼎看銘書有亡篋文稱墜簡疑絳老之年走朝有問卜晉侯之疾訪史莫知莫不取揆宏襟詢謀達識公辨無不釋言必造微掩雲夢以吞之湛秋陽以照之如太嶽之覽羣山若滄溟之朝百谷者矣至乃緒發而宮商應言形而雅頌興爽律與雲天並高繁章與霞月俱亮故能虛明獨照壯思雄飛自我心極爲之宰匠嘗亦紀秦望銘華山勒函谷之關刊燕然之石繁弦間發縟彩相輝歌奏而白雪遂孤賦成而黃金有價豈惟排終拉賈駕王超陳而已若乃天言煥發王命急宣則翰動若飛思如泉涌典謨作制於邦國書奏便蕃於禁省斂以應用婉而有章則近代以來未之前聞也豈學而得之歟抑亦天縱之歟何其殊尤而懿鑠也惜乎循途未極閱川行謝雖洞簫爲賦方傳漢帝之宮而禪草遺忠空留茂陵之下思盛烈其如在覽餘文而增歎曲池無處舊館寂寥感知己以

悼恩懷舊德而何極豈峴山之上長流墮淚之詞延閣之中不紀藏書之錄謹撰緝文誥成一家之言凡四十卷列之如右請藏於祕府以示來裔

唐丞相鄴侯李泌文集序　梁肅

唐興九世天子以人文化成天下王澤洽頌聲作洋洋焉與三代同風其輔相之臣曰鄴侯李公泌字長源用比興之文行易簡之道贊事盛聖辨章品物疏通以盡理閎麗而合雅舒卷之道必形於辭其偉矣夫予嘗論古者聰明睿聖（一作智）之君忠肅恭懿之臣敘六府三事同八風七律莫不言之成文歌之成聲然後浹於人心人心安以樂播為風俗風俗厚以順其有不由此者為理則粗在音則煩粗之弊也朴煩之甚也亂用其道行其位者歷選百千不得十數噫才難不其然乎開元中公七歲見丞相始興張公九齡張駭其聰異授以屬辭之要許以輔相之業洎始興沒不六十載公果至宰相封侯有文集二十卷其習嘉遯則有滄浪紫府之

詩其在王廷則有君臣賡載之歌或依隱以翫世或主文以譎諫步驟六義發揚時風觀其辭者有以見上之任人始興之知人者已初太上當陽公以處士延登內殿實敷黃老之訓至德初宣皇以元良受禪公則獻太階頌昭纂堯之道睿文以廣平伐罪公則握中權之柄參復夏之功大德不官既追五嶽之隱大用不器終踐代天之職方將熙度工以成邦教載直筆以修唐書命之不融凡百興歎既薨之來載皇上負扆之暇思索時文徵公遺編藏諸御府於是公之文詞光大一門近歲肅以監察御史徵詣京師始得集錄於公子繁且以序述見託公之執友諫議大夫北平陽城亦謂予曰鄴侯經邦緯俗之謨（後公之至之謨六十字從文苑英華補入）立言垂世之譽獨善兼濟之略藏在冊牘載於碑表惟斯文不可以不傳於後嘗謂肅曰吾子辭直蓋存乎編序既詠歎之不足因著其所以然貽諸好事者凡詩三百篇表誌碑頌讚序議述又百有二十其五十篇缺獨著其目云

唐銀青光祿大夫守中書侍郎同中書門下平章事贈
太傅常山文貞公崔祐甫文集序　權德輿
昔舜禹之代股肱昌言以祗承于帝修六府敘九功曰都曰俞交修德殷周之際有伊訓說命太保太師旅獒金縢之書以戴翼其代皆有大烈格于皇天自三代已還君臣感會何嘗不經緯斯文裁成百度太傅文貞公寅亮德宗致建中之理左輔右弼緝熙光明居中一歲以至大病懇策尊名爲唐宗臣公薨二十九歲天子命公嗣子植爲右拾遺植乃捧公遺文三十篇見咨論敘德輿以爲君子消長之道值乎其時而文亦隨之得其時則章明事業以宣利澤不得其時則放言寄意以攄志氣公自門閥秀士被服縉紳至於登大朝筦宰政四十年閒作爲文章以修人紀以達王事懼喜怒之不中節故有作威誡懲苟得之害正故有重請鐘銘恐匪人之干紀故有與永王璘牋書誚時宰之不能上廣聰明故有台封說悼谷風之詩廢故有僚友箴慮法吏邊吏之失其官守故有貓鼠議是

惟無作作則有補於時以至於修事功斷國論導志通理昭明易直施於名命爲雅誥刻於金石無愧辭康莊逸軌卓犖濟發九流六藝鼓舞奔走陳思王所謂儼乎若崇山敎乎若蒸雲惟公信然公姓崔氏諱祐甫字貽孫博陵安平人先孝公之淸德與公始中終之盛烈勒於帝籍藏在惇史升公堂奧之君子多爲之譔錄大較以同人之中正大有之剛健中庸之明誠洪範之攸好德艱貞踐履出入光大皆充其義如具文嘗試言之天下公器也匪皇極不乂操柄者務廣通則其弊以流縱私冏則其弊以没以是至於紀綱淆亂官職耗廢敗壞陵夷而不可爲務守者弊以隘則窘若桔荸於是才滯而不發事壅而不宜其於病王猷蠹大倫圯也及公平衡宰物爲之折衷使文皇明皇之風粲然復興崇起敎化萬方同軌道協氣宣臻至理而無癘疵爲仁由己善善若不及泝其心源存乎斯文君子曰觀文貞之文而知其道知其道然後知其理蠱之易易也昔公能修先孝公之志類其文章趙郡李公遐叔

實爲之序今植亦能修公之志而德輿無似懼辱命焉凡九百二十篇爲一家之言云爾

唐贈兵部尚書宣公陸贄翰苑集序

嘗讀賈誼書觀其經制人文鋪陳帝業術亦至矣待之宜室恨得後時遇亦深矣然竟不能達四聰而盡其善排羣議而試厥謀道之難行亦已久矣東陽絳灌何代無之噫一薫一蕕善齊（去聲）不能同其器方鑿圓枘良工無以措巧心所以治世少而亂日多大雅衰而正聲寢漢道未融既失之於賈傅吾唐不幸復擯棄於陸公公諱贄字敬輿吴郡蘇人溧陽令偘之子年十八登進士第應博學宏辭科授鄭縣尉非其好也省母歸壽春刺史張鎰有名於時一獲晤言大加賞識暨別鎰以泉貨數萬爲贄曰願以此奉太夫人一日之膳公悉辭之領新茶一串而已是歲以書判拔萃調渭南主簿御史府以監察換之德宗皇帝春宮時知名召對翰林即日爲學士由祠部員外轉考功郎中朱泚之亂從幸奉天時車駕播遷詔書旁午公灑翰即成不復起草初若不經思慮及成而奏無不曲盡事情中於機會倉卒塡委同職者無不拱手歎伏不能復有所助嘗從容奏曰此時詔書陛下宜痛自引過以感人心昔禹湯以罪己致興楚昭以善言復國陛下誠能不悋改過以言謝天下俾臣草辭無諱庶幾羣盜革心上從之故行在詔書始下雖武人悍卒無不揮涕激發議者以德宗克平寇亂不惟神武之功爪牙宣力蓋亦資文德腹心之助焉及還京師李抱眞來朝奏曰陛下在山南時山東士卒聞書詔之辭無不感泣思奮臣節時臣知賊不足平也公自行在帶本職拜諫議大夫中書舍人精敏小心未嘗有過艱難扈從行在輒隨啟沃謨猷特所親信有時讌語不以公卿指名但呼陸九而已初幸梁洋棧道危狹從官前後相失上夜次山館召公不至泣然號於禁旅曰得陸贄者賞千金頃之公至太子親王皆賀初公既職內署母韋氏尚在吳中上遣中使迎致京師道路置驛文士榮之丁韋夫人憂去職持喪於洛遣

人護溧陽之柩祔於河南上遣中使監護其事四方賻遺數百萬公一無所取素與蜀帥韋南康布衣友善韋令每月置遺公奏而受之服闋復內職權知兵部侍郎覲見之日天子爲之興改容敘弔優禮如此內外屬望旦夕俟其輔政爲竇參忌嫉故緩之貞拜兵部侍郎知貢舉得人之盛公議稱之貞元八年拜中書侍郎平章事公以少年入侍內殿特蒙知遇不可與衆浮沈苟且自愛事有不可必諍之上察物太精躬臨庶政失其大體動與公違姦諛從而間之屢至不悅親友或規之公曰吾上不負天子下不負吾所學不恤其他公精於吏事斟酌剖決不爽錙銖其經綸制度具在德宗實錄及竇參納劉士寧之賂爲李巽所發得罪左遷橫議者以公與參素不協歸罷相之議於公戶部侍郎制度支裴延齡以姦回得幸害時蠹政物議莫敢指言公獨以身當之屢言不可翰林學士吳通玄忌公先達每切中傷陰結延齡互言公短宰相趙憬公之引拔昇爲同列以公排邪守正心復異之羣邪沮謀直道不勝十年退公爲賓客罷政事明年夏旱芻糧不給軍校訴於上延齡奏曰此皆陸贄輩怨望鼓扇軍人也貶公忠州別駕上怒不可測賴陽城張萬福救之獲免蜀帥韋令抗表請以贄代己歲賂資糧公在南賓閉門卻掃郡人稀識其面復避謗不著書唯考校醫方撰集驗方五十卷行於世江峽十稔永貞初與鄭餘慶陽城同徵還公已薨歿時年五十二公之秉筆內署也權古揚今雄文藻思敷之爲文誥伸之爲典謨俾慓狡向風懦夫增氣則有制誥集一十卷覽公之作則知公之爲文也潤色之餘論思獻納軍國利害巨細必陳則有奏草七卷覽公之奏則知公之爲臣也其在相位也推賢與能舉直錯枉將斡璿衡而揭日月清氛沴而平泰階敷其道也與伊說爭衡考其文也與典謨接軫則有中書奏議七卷覽公之奏議則知公之事君也古人以士之遇也其要有四焉才位時命也仲尼有才而無位其道不行賈生有時而無命終於一慟唯公才不謂不長位不謂不達逢時而不盡其道非命

歟裴氏之子焉能使公不遇哉說者又以房魏姚宋逢時遇主克致淸平陸君亦獲幸時君而不能與房魏爭烈蓋道未至也應之曰道雖自我弘之在人蜚蝗竟天農稷不能善稼奔車覆轍巨軻亦廢規行若使四君與公易時而相則一否一臧未可知也而致君不及貞觀開元者蓋時不幸也豈公不幸哉以爲其道未至不亦誣乎公之文集有詩文賦集表狀爲別集十五卷其關於時政昭昭然與金石不朽者惟制誥奏議乎雖已流行多謬編次今以類相從冠于編首兼略書其官氏景行以爲序引俾後之君子覽公制作效之爲文爲臣事君之道不其偉歟

唐丞相禮部尚書文公權德輿文集序

楊嗣復

唐有天下二百二十載用文章顯於時代有其人然而自成童就傳以及考終命解巾筮仕以及鈞衡師保造次必於文視聽必於文采章皆正色而無駁雜調韻皆正聲而無奇邪滔滔如河東注不知其極而又處命書綸綍之任專考覈品藻之柄參化成輔翊之勳初中終全而有之得之於相國文公矣公諱德輿字載之天水人也族望祖宗之遠當官行己之道語在國史銘於壙而碑於塗此不敢詳今所載者因緣文業而已早歲爲淮南江西從事掾管記室之任屬辭諧理奏入報可移文走檄疆事迎（一作盬）解登朝爲起居舍人改駕部員外郎換司勳郎中遷中書舍人凡四任九年專掌詔誥大則發德音修典冊洒朝廷之利澤增盛德之形容小則褒才能敘官業分別流品申明誠勸無誕辭無巧語誠直溫潤眞王者之言公昔自纂錄爲制集五十卷託於友人湖南觀察使楊公憑爲之序故今不在編次乾其他千名萬狀隨意所屬牢籠今古窮極微細周流於親愛情理之間磅礴於勳賢久大之業不爲利疚不以非廢本乎道以行乎文故能獨步當時人人心伏非以德爵齒挾而致之貞元中奉詔考定賢良草澤之士昇名者十七人及爲禮部侍郎擢進士第者七十有二鸞凰杞梓舉集其

門登輔相之位者前後凡十人其他征鎭岳牧文昌掖垣之選不可悉數繼居其任者今猶森然非精識洞鑑其辭而知其人何以臻此邪憲宗皇帝紹開中興始以英明申威提法武功旣俞文教是圖元和五年冬執政暴疾旣瘖且痺未旬日而公作相憲章儒術潤色王度使和聲順氣發自廊廟而罔浹於幽遐我之所長時以推戴玉立冰絜無緇磷遷染之譏以文德自終豈徒然哉嗣復不佞發跡門館儀曹台席皆忝前躅公之元子中書舍人璩不幸短命其嗣子憲泣奉文集求鄙辭以冠篇首雖觀於巨海難挹波濤而藉用白茅所資誠敬其五十卷次第具在集目謹序

唐中書侍郎平章事韋處厚文集序　劉禹錫

漢庭以賢良文學徵有道之士公孫弘條對第一席其勢鼓行人間取丞相且侯使漢有得人之聲伊弘發也皇唐文物與漢同風故天后朝燕國張公說以辭標文苑徵玄宗朝曲江張公九齡以道侔伊吕徵德宗朝天水姜公公輔杜陵韋公執誼河東裴公垍以賢良方正徵憲宗朝河南元公稹京兆韋公惇以才識兼茂徵隴西牛公僧孺李公宗閔以能直言極諫徵咸用對策甲於天下繼爲有聲宰相古今相望落落然如騎星辰與夫起版築飯牛者異矣公本名惇舉進士登賢良旣仕方更名處厚字德載漢丞相扶陽侯之裔孫後周逍遙公夐之八代孫右僕射某之元子生而聰明絶人在提孩發言成詩未幾能賦受經於先君僕射學文於伯舅許公孟容及壯通六經旁貫百氏咨天人之際遂探曆數明天官窮性命之源以至佛書尤所通達初爲集賢殿校書郎宰相李趙公監修國史引公直東觀就改咸陽尉遷右拾遺轉左補闕世稱有史才而能諫諍入尙書爲郎歷禮部考功皆入望所在上方用威武以讐不庭宿兵寖久韋丞相貫之酌人情上言不合意冊免因歷詆所善公在伍中出爲開州刺史居二年執友崔敦詩爲相徵拜戶部郎中至闕下旬歲閒以本官知制誥穆宗新卽位注意近臣召入翰林充侍講學士初授諫議大夫續換中書舍人

侍遊蓬萊池延問大義退而進六經法言二十篇優詔荅之賜以金紫尋遷權知兵部侍郎知制誥翰林侍講史館修撰長慶四年春敬宗踐祚以公用經術左右先帝五年稔聞其德尤所欽倚内署故事與外庭不同凡言翰林學士必草詔書有侍講者專備顧問雖官爲中書舍人或他官知制誥第用其班次耳不竄言於訓辭至是上器公且有以寵之乃使内謁者申命去侍講之稱慮未諭于百執事居數日降命書重舉舊官以明新意尋眞拜夏官貳卿由是内庭辭臣無出其右者凡密旨必承平權輿故號承旨學士上富有春秋未親庶政或有疑滯視公如蓍龜寶麻季年宫壼閒一夕生變人情大駭雖鼎臣無所關決惟内署得預參畫羣議閧然俟公一言而定戡難纘服再維乾綱今上繼統策勳第一擢拜中書侍郎同中書門下平章事以高才遇英主功顯人伏言无不從筆端膚寸澤及天下盡罷冗食請歸才人事先有司物止常貢城社無犯嚴廊益尊感恩盡瘁不啚神用大和二年十二月上

前言事未及畢辭疾暴作以朝服委地同列白奏掐紛扶持之不能起上命中貴人左右翼負歸于中書如大醉狀上震驚咨嗟徵醫賜藥旁午疊委會暮肩輿至第詰旦以疾不起聞贈䘏加常禮後十年嗣子蕃以太子舍人直弘文館編次遺文七十通銜哀貢誠乞序以冠其首謹按公文未爲近臣已前所著詞賦讚論記述銘誌皆文士之辭也以才麗爲主自入爲學士至宰相以往所執筆皆經綸制置財成潤色之辭也以識度爲宗觀其發德音福生人霈然如時雨褒元老諭功臣穆然如景風命相之冊和而莊命將之誥昭而毅薦賢能其氣似孔文舉論經學其博似劉子駿發十難以摧言利者其辯似管夷吾噫逢時得君奮智謀以取高位而令名隨之豈不偉哉初蕃既纂修父書咨于先執李習之請文爲領袖許而未就一旦習之悄然謂蕃曰翺昔與韓吏部退之爲文章盟主同時惟柳儀曹宗元劉賓客夢得耳韓柳之逝久矣今翺又被病慮不能自述有孤前言齎恨無已將子薦誠于劉君乎

無何習之夢奠于襄州蕃其道其語余感相國之平昔且嘉蕃之虔虔孝敬庶幾能世其家故不敢讓云爾

唐丞相太尉衛國公李德裕會昌一品制集序

鄭亞

綸綍之興載籍之始先王發號施令明罰勅法蓋本於此也唐虞之盛二典存焉夏殷之隆厥有訓誥自肩征甘誓乃有誓命之書皆三代之文一王之法也虞夏之際代祀綿遠其代工掌制之名氏莫得而知至于成湯太甲則有仲虺伊尹爲之訓誥高宗得傅說則有說命之篇周公召公相成王則有洛誥酒誥周官顧命秦始皇帝并一區宇丞相李斯實掌其言漢興當秦焚書之後侍從之臣皆不習文史蕭曹之輩又乏儒墨之用每封功臣建子弟其辭多天子爲之縱委於執翰者亦非彰灼知名之士武帝使司馬相如視草率皆文章之流以相如非將相器也厥後寖微寖長下于魏晉亦代有其人我高祖革隋文物大備在貞觀中則顏公師古岑公文本興焉在天后時則李公嶠崔公融出焉燕許角立於玄宗之朝常楊繼美於代宗之世洎憲宗皇帝英武啟運雄圖赫張中興之業高映前古其時則先太師忠公翱翔內署有密勿贊佐之績平吳定蜀實惟其功及登樞衡作霖雨尊王室卑諸侯圖蔡料齊外定內理顯王言於典誥彰帝範於圖籍紀在徽冊播於無窮特進太子少保分司東都衛公長慶中事惠皇爲翰林學士訓誥之業彰於前聞昭肅皇帝統握乾符寤寐良弼詔自淮海復升台庭盡付玄機允厭神度每彤墀奏罷別承天睠帝亦講伊訓說命之旨定元首股肱之契以太平之制度上古之文教咸屬於公焉會先太后懿號未立帝明發有永懷之痛公述沙麓神井之瑞贊繞樞懷日之慶懋遵聖緒光慰孝思於是承命有宣懿祔廟之制及武宗郊昊天拜清廟文物胥備朝廷有禮革夷述職河朔修貢乃顯神休薦徽號奉揚一德以示萬方於是撰仁聖文武至神大孝之冊封域無虞天子儼然有求玄之思乃範貞金模聖表

隆準日角燭于宮庭中外臣寮咸欲以頌山河而裦日月也公於是有聖容之讚天街之北獯鬻攸居因饑憑淩怙衆强禦嚴之以刁斗而勃爾無懼申之以文告又腆然不率天子震怒旋命征之公獨運沈機上資宸斷萬里勝負決於帷中雷霆既震犬羊遂潰疣贅披抉腥羶解離遁其名王復我貴主公於是有討北狄之詔天寶末薊門爲首亂之地瘡痏榛棘襲世未平至是漁陽帥仲武掃除妖孽臧獲仇讎奉揚威神乃厎康靖仍願勒石於盧龍之塞以敘聖功飛章上聞帝用允若公祗膺明命舒展格言呼嘯神祇吐納嵩華嘗晝而文星見不寐而白鳳來成諸侯不朽之勳尊元后無私之化公於是有幽州紀聖功之碑潞帥劉從諫死其子因闕河之險恃甲兵之衆請爵爭地屢聞王庭中外疑迷互撓天聽帝將耀神武公累獻忠謀且言曰重耳在喪不聞利父雄渠受戮祇以拒君況明皇舊宮天井內地跨連河北脅倚山東豈可行有匪人坐爲汙俗若是可忍孰不可容沃心無疑躡足乃定又曰上黨居天下之脊當河朔之喉今漳水雄兵常山勁卒是爲脣齒實懼因依不若乘於未萌制其將動帝俞其奏乃妙選使臣以勞諭之嚴立刑賞以勸戒之魏侯鎮侯戮力從命絕壺關之右臂收泜水之上游獲茲渠魁在此成算又轅門叛將潢水餘兇竊上相之旄旗盜晉陽之管鑰帝怒斯赫人心愈疑咸以師老於郊梟巢尚固議罷兵者蚊聚請宥過者雷同公又揚笏而言曰彼地則義師帥分宗室是玄祖勤商之邑后稷造周之邦瓜瓞具存堂構斯在苟虧策畫不襲仇讎則是獎彌牟逐主之風長冒頓射親之俗詩稱築室于道書謂疑謀勿成由是洞啟宸衷大破羣議運籌制勝舉無遺策防微慮遠必契神機授鉞之臣服膺承命謝玄之圍棊尚劫曹參之飲酒方酣果有軍書繼聞戎捷砥磨周鍼水淬鄭刀萬里來袁紹之頭顱二冢葬蚩尤之肩髀歡聲雖震於朝市喜氣不見於形容何其纂立功勳鎮定風俗若是之重也公於是有伐上黨之制平晉陽之敕宗華可汗獻琛輸賮越自絕域通于本朝

文畢伯士之肩呼韓谷蠡之師或執玉而朝靈囿或解辮而拜甘
泉並垂於冊書光彼明命公於是有諭迴鶻之命五慰堅昆之書
四文章等於訓傳機事出於神明固將偃仰邳石之符傲睨鬼箝
之錄聞之者可以祛聾瞶得之者可以弼邦國每牙管既拔芝泥
將乾嘗於前席親授筆札公亦分陰可就落簡如飛時有急宣闕
於密晝內庭外制皆不與聞或勢切疾雷機難終日宣室未召武
帳莫開公則手疏封章達於旒扆當乙夜觀書之際未嘗不稱美
再三此又豈可與傳洞簫而諷於後庭聞子虛而嗟不同世者論
功較德邪歲在乙丑羣公常伯以天子之道貫於神祇一年而風
雨攸序災沴不作二年殲醜虜興北伐之詩四年誅狡童詠東征
之歌而又伐（一作移）摩尼之風壞浮圖之俗偃兵返樸四海胥定思
欲增鴻名光下武公乃觀東序之圖按西崑之牒鋪舒名實藻縟
文采類于上帝爲唐神宗公於是纂章天成功神德明道之冊文
號位既畢華夷會同方將命禮官召儒者訪匡衡后士之儀採公

王明堂之圖考肆覲之禮於梁生取封禪之書於夫子盡皇王之
盛事極臣子之殊功而軒鼎將成禹書就掩然猶進先嘗之藥獻
高手之醫藏周旦請代之書追漢宣易名之美作爲大誥祈于昊
天始終一朝紹纘九德其功伐也既如彼其制作也又如此故合
武宗一朝冊命典誥奏議碑贊軍機羽檄凡兩帙二十卷輒署曰
會昌一品制集紀年追聖德也書位旌官業也歲丁卯亞自左掖
出爲桂林九月公書至自洛以典誥制命示于幽鄙且使爲序以
集成書尋玄珠不究於倪域聽希聲莫窮於高下承命震惴幾移
朝夕援筆而復止者三四伏念江陸修潔辭讓不及因齋絜以敘
焉夫全功難持大名難兼日赫於晝而乏清媚月皎於夜而無溫
煦冬之爲候也則雪霜飄暴凍入肌髮夏之爲用也則金流石鑠
火走膚脈如陽春高秋者稀焉南則瘴風毒虺之爲厲也北則獯
戎黠虜之爲患也如雒陽咸秦者幾焉鷗鷺不傳之以馳騁驊騮
不授之以騫翥如應龍者鮮焉仲尼聖賢之宗也位止於司寇師

明道德之祖也官不過柱史如姬旦者幾焉是以保衡傅說佐佑殷宗召公畢公寅亮周室咸著大訓克爲元龜書契以來未之多有李斯以刻石紀號之文勝而不在休明之運又何足數哉周勃霍光雖有勳伐而不知儒術枚臯嚴忌善爲文筆而不至嚴廊自是已降其類實繁惟公蘊開物致君之才居元弼上公之位建靖難平戎之業垂經天緯地之文萃于厥躬慶是全德蓋四序之陽春九州之咸雒品彙之應龍人倫之姬旦後之學者其景行之

唐徐泗濠節度使觀察處置等使通議大夫檢校尚書左僕射贈司徒張建封文集序　權德輿

昔有虞以濬哲文明理天下故有諧八音陳九德賡載（一作歌）康哉之臣周宣王循文武之業以開中興故有歌蒸人賦韓奕清風大雅之什春秋之際諸侯（列卿）大夫感物造端能賦可以圖事稱詩可以諭志然則元侯宗工作爲文章本於王化繫於風俗亦其志氣之所發也司徒諱建封南陽人簡廉疏達信厚誠直秉心可大以

禮義爲干櫓非道不處視圭組猶稊稗以褐衣博帶游于京師當時賢公名卿盛服先生之倫皆迎門締交就義若渴贊師律於盟津大鹵二府由察視主柱下方書朝廷以州部要害選難符守歷巴陵陟壽春婁婁反虜壤地相接衆寡懸絶物情不交斬其使者以徇傳首於行在所屏翰淮海我爲金湯選衆觀望者皆革心服義而東夏安矣加地進律察廉三郡授鉞貞師涖于徐方就加六職端右之任追命三公論道之秩其始終艱貞光大也如是昔左邱明載單襄公之言曰忠文之實也智文之輿也仁文之愛也義文之制也則司徒禰時之大忠明智戴仁抱義皆推本乎斯文然後足言足志踐履章灼故其辯古人心源定是非於羣疑之下則韓君別錄痛詆時病以發舒憤懣則投元杜諸宰相書其餘贊勳伐表邱隴銘器敘事放言諧理皆與作者方駕而歌詩特優有仲宣之氣質越石之清拔如雲濤溟漲浩漾無際而天琛夜光往往在焉其入覲也獻朝天行一篇因喜氣以攄肝膈覽其辭者見公

之心焉其還鎮也德宗皇帝紓天文以送別湛恩與倫耀動中朝至於內廷錫宴君唱臣和皆酌六義之英而爲一時之盛夫文之病也或牽拘而不能騁或奔放而不自還公則財成心匠揮斤細故英華感慨卓爾其間大析理研幾泊然其精微全才逸氣與勳力相宣盡在是矣公之理也徐人宜之故尚書克家纂業用嗣厥服猶鮑氏之居司隸鄭人之賦緇衣大君推恩善善春秋之義也永懷先志乃集遺文以德與嘗承司徒之歡表列編次凡二百三十篇承詔作序是用拜君命之辱而不敢讓云

唐昭容上官氏文集序　張說

臣聞五聲無主律呂綜其和五綵無章黼黻交其麗是知氣有壹鬱非巧辭莫之通形有萬變非工文莫之寫先王以是經天地究人神闡寂寞鑑幽昧文之辭義大矣哉上官昭容者故中書侍郎儀之孫也明淑挺生才華絕代敏識聰聽探微鏡理開卷海納宛若前聞搖筆雲飛咸同宿構初沛國夫人之方娠也夢巨人俾之

大秤曰以是秤量天下及昭容既生彌月夫人弄之曰秤量天下豈在子乎孩遂啞啞應之曰是生而能言蓋爲靈也越在襁褓入於掖庭天實啟之故毀家而貸國運將興也故成德而受任自則天久視之後中宗景龍之際十數年間六合清謐內峻圖書之府外闢修文之館搜英獵俊野無遺才右職以精學爲先大臣以無文爲恥每豫遊宮觀行幸河山白雲起而帝歌翠華飛而臣賦雅頌之盛與三代同風豈惟聖后之好文亦云奧主之協讚者也古者有女史記功書過復有女尚書決事宮閣昭容兩朝專美一日萬機顧問不遺應接如響雖漢稱班媛晉譽左嬪文章之道不殊輔佐之功則異迹祕九天之上身沒重泉之下嘉猷令範代罕得聞庶姬後學嗚呼何仰然則大君據四海之圖懸百靈之命喜則九圍挾纊怒則千里流血靜則黔黎乂安動則蒼叱能弊入耳之語諒其難乎貴而勢大者疑賤而禮絕者隔近而言輕者忽遠而意忠者忤惟窈窕柔曼誘掖善心忘味九德之衢傾情六藝之圃

故登崑巡海之意寢翦胡刈越之威息璿臺珍服之態消從禽嗜樂之端廢獨使溫柔之教漸於生人風雅之聲流於來葉非夫立黃毓粹貞明助思衆妙扶識羣靈挾志誕異人之寶授興王之瑞其孰能臻斯懿乎鎮國太平公主道高帝妹才重天人昔嘗共遊東壁同宴北渚倏來忽往物在人亡憫雕琯之殘言悲素扇之空曲上聞天子求椒掖之故事有命史臣敘蘭臺之新集凡若干卷列之如左

文粹卷弟九十一

文粹卷第九十二

吳興 姚鉉 纂

序二 總一十三首

集序

唐御史大夫贈司徒贊皇文獻公李栖筠文集序

權德輿

辰象文于天山川文于地肖形最靈經緯教化鼓天下之動通萬物之宜而人文作焉三才備焉命代大君子所以序九功正五事精義入神英華發外著之話言施之憲章文明之盛與天地準贊皇文獻公以文行正直祗事代宗中行山立乃協于極初未弱冠隱于汲郡共城山下營道抗志不苟合於時族子華名知人嘗謂公曰叔父上鄰伊周旁合管樂聲動律外氣横人間感激西上舉秀才第一陟降中外開闢代故宣力匪躬勤于王家出涖方國入居清近由給事黄門官小司空剖符毗陵陟明于吳廉問風行四方表率拜御史大夫不仁者遠武皇炳然審天工之可付公亦

曉然知理道之可必一德交感推心合符執熱以待濯臨摯而不淑豈斯人未得蒙公之功化邪何造物者之戾也始與計偕投小宗伯書至內外掃除之際自爲墓誌其閒謬三十年周旋官業與斯文相爲用大凡出於詩之無邪易之貞厲春秋之褒貶且以閎參鉅衍爲曼辭麗句可喜非法言故公之文簡實而粹精則拔而章明書誌二篇感概自敘英華特達君子之道有初有終至若嘉園綺弛張出處於秦漢之閒著四先生碑美蕭文終邴丞相之倫或退或讓作五君詠病有司詩賦取士非化成之道著貢舉議其他下屬城教條則辭語溫潤言公事上奏則切劘端正觸類而長皆文約旨明昭昭然足以激衰薄而申矩度如崑邱玄圃積玉相照景山鄧林凡木不植覽公遺編者髣髴風采知公之道焉烏虖以韓安國之忠厚多大略漢武以爲國器壺遂深中篤行將亦倚以爲相董仲舒言天人之際有王佐之才而皆不至彼當時齷齪備位者朝廷無慮日又況奇袤忮害祟黨蔽善公于斯時道未大光然其謨猷獻替過於當國流風遺書暴于天下神之聽之景福于趙公纂承門訓弘大名器三命樞機爲唐夔龍君子然後謂流澤貽慶之言也信德輿先公與公天寶中修詞射策爲同門生並時筮仕于魏貝之地聲猷志氣相視莫逆伏思羇屑展敬無容猥以疏愚承趙公至惠忝聲舉之舊無忘代親翊唐虞之朝嘗陪宰政捧門中集錄屑涕見授辭不獲命謹直書以冠于篇

唐刑部尚書致仕白居易文集序

元稹

白氏長慶集者太原人白居易之所作也居易字樂天樂天始言試指之無二字能不誤（具樂天與予書）既言讀書勤敏與他兒異五六歲識聲韻十五志詩賦二十七舉進士貞元末進士尚馳競不尚文就中六籍尤擯落禮部侍郎高郢始用經藝爲進退樂天一舉擢上第明年中拔萃甲科由是試性習相近遠求玄珠斬白蛇劍等賦及百道判新進士競相傳於京師矣會憲宗皇帝策召天下士樂天對詔稱旨又登甲科未幾入翰林掌制誥比比上書言得失

因爲賀雨詩秦中吟等數十章指言天下事時人比之風騷焉予始與樂天同校祕書前後多以詩章相贈荅會予譴掾江陵樂天猶在翰林寄予百韻律詩及雜體前後數十軸是後各佐江通復相酬寄巴蜀江楚閒洎長安中少年遞相倣效競作新詞自謂爲元和詩而樂天秦中吟賀雨諷諭閒適等篇時人罕能知者然而二十年閒禁省觀寺郵候牆壁之上無不書王公妾婦牛童馬走之口無不道至於繕寫摸勒衒賣於市井或持之以交酒茗者處處皆是揚越閒多作書摸勒樂天及予雜詩賣於市肆中其甚者有至於盜竊名姓苟求自售雜亂閒廁無可奈何予嘗於平水市中鏡湖傍草市名見村校諸童競習歌詩召而問之皆對曰先生教我樂天微之詩固亦不知予之爲微之也又雞林賈人求市頗切自云本國宰相每以一金換一篇其甚僞者宰相輒能辨別之自篇章以來未有如是流傳之廣者長慶四年樂天自杭州刺史以右庶子詔還予時刺郡會稽因得盡徵其文手自排纘成五十卷凡二千一百九十一首前輩多以前集中集爲名予以爲國家明年當改元長慶訖於是按穆宗崩於四年明年敬宗即位改元寶曆故云長慶訖於是也因號曰白氏長慶集大凡人之文各有所長樂天之長可以爲多矣夫以諷諭之詩長於激閒適之詩長於遣感傷之詩長於切五字律詩百言而上長於贍五字七字百言而下長於情賦讚箴誡之類長於當碑記敘事制誥長於實啟奏表狀長於直書檄詞策剖判長於盡總而言之不亦多乎哉至於樂天之官族景行與予之交分淺深非敘文之要也故不書

長慶四年冬十二月十日微之序

唐贈禮部尚書孝公崔沔文集序　李華

文章本乎作者而哀樂繫乎時本乎作者六經之志也繫乎時者樂文武而哀幽厲也立身揚名有國有家化人成俗安危存亡於是乎觀之宣于志者曰言飾而成之曰文有德之文信無德之文詐皋陶之歌史克之頌信也子朝之告宰嚭之詞詐也而士君子恥之夫子之文章偃商傳焉偃商歿而孔伋孟軻作蓋六經之遺

也屈平宋玉哀而傷靡而不遠六經之道遯矣論及後世力足者不能知之知之者力或不足則文義寖以微矣文顧行行顧文此其與於古歟帝唐文行大臣太子賓客贈禮部尚書博陵孝公崔氏諱沔字若沖安平公暟之少子也世爲德表門爲上族振發純英滋漸名訓大包淑和高厲遐清行先乎孝藝裕乎文質孝可以股肱王室撰文可以弼成邦教進士登第舉賢良方正對策第一召見拜校書郎歷陸渾主簿朝廷以公直躬正詞擢左補闕以公嫉邪忿佞除殿中侍御史文端武淑還起居舍人學該典禮拜尚書祠部員外郎議事惟允遷給事中立言成訓改中書舍人辭乞就養授虞部郎中節高天下擢御史中丞剛亦不吐降著作郎道冠儒林遷祕書少監動爲人範除左庶子宜均大政拜中書侍郎望尊地偪出爲魏州刺史人惟求舊入爲左散騎常侍貳東宮居守集賢院學士祕書監太子賓客兼懷州刺史罷州復職副守薨於位時開元二十四年冬仲月旬有七日春秋六十七贈禮部尚

書海内冠帶涕哀宗師公爲御史糾輸誠之罔（一作四）持國屬之罪爲給事中拒貴倖怙恩之詔削大臣忤旨之刑爲中丞數發太倉減上林禽鳥之給以賑艱食陝東之人仆而復起宦官犯法執以按劾權寵屏息朝章大行權貢舉時得陸尚書景融來揚州瑱宋上黨遙宋兵部鼎等僉爲國器在中書詔命之出上考天時下從人心異於斯者必替其否在魏州屬雨水敗稼乃弛禁便人先行後聞活者萬計公自爲常侍賓客恆任介正德播天下而不容於朝置之散地竟孤其道時乎初公與元兄御史渾齊名弱冠遊京師搢紳儒學之士皆曰崔氏伯仲必至台司既而御史君夭沒公終于副守則向之所屬適爲人慟悲哉公之侍疾也孝達于神祇居憂也哀貫乎天地喪期有數而茹毒（一作蘖）終身慈不貸姦貞不肆直道勝而齊物德全而及人博厚崇高篤實有耀儕於古烈蓋魯衛之君子歟在魏州東鄰東巡闕外諸侯公爲上第由是分掌選署仕進之族知勸爲親交鄰里饑者待公而炊寒者待公而裘

蒸嘗之奠待公而後具故祿廪雖厚家未嘗足開元中天下富穰車服過制公非飲食卑宮室濯衣澣冠俾人瞻我而化其不化者亦慙乎心矣見天下之善如不及從而佐之見天下之不善如探湯從而誨之則卒蹈於中庸翻然於不退已過半矣中朝議政或疑羣謀未允公援六經伸百氏覆於時事事擧其中天下莫不諷誦焉文集經亂離多散逸今其存者二十九卷長子成甫進士擢第校書郎陝縣尉知名當時不幸早世嗣子祐甫論譔先志一卷爲第三十卷傳祖禰之美合於禮經見公文章知公行事則人倫之敘治亂之源備矣豈惟比物諧聲爲文章而已乎奉詔修道德經疏藏於（自備矣至藏於二十三字從文苑英華補入）三閣行乎天下反魏晉之浮誕合玄言於世教其於道也至乎哉祐甫純孝而文直清而和希公門者謂公存焉明發不寐泣次遺文以華北州鄰壤婚姻之舊嘗趨公門備閱家編祐甫代華爲校書郎華以是味公之道也熟詞則不敏有古之直焉

唐吏部侍郎昌黎先生韓愈文集序　李漢

文者貫道之器也不深於斯道有至焉者不也易繇爻象春秋書事詩詠歌書禮剔其僞皆深矣乎秦漢已前其氣渾然迨乎司馬遷相如董生揚雄劉向之徒尤所謂傑然者也至後漢曹魏氣象萎薾司馬氏已來規範蕩悉謂易已下爲古文剽掠僭竊爲工耳文與道蓁塞固然莫知也先生生於大厤戊申幼孤隨兄播遷韶嶺兄卒鞠於嫂氏辛勤來歸自知讀書爲文日記數千百言比壯經書通念曉析酷排釋氏諸史百子皆搜抉無隱汗瀾卓踔奫泫澄深詭然而蛟龍翔蔚然而虎鳳躍鏘然而韶鈞發日光玉絜周情孔思千態萬貌卒澤於道德仁義炳如也洞視萬古愍惻當世遂大拯頹風教人自爲時人始而驚中而笑且排先生志益堅其終人亦翕然而隨以定嗚呼先生於文摧陷廓清之功比於武事可謂雄偉不常者矣長慶四年冬先生歿門人隴西李漢辱知最厚且親遂收拾遺文無所失墜得賦四古詩二百五聯句十律詩

一百七十三雜著六十四書啟序八十六哀辭祭文三十八碑誌七十六筆硯鱷魚文三表狀四十七總七百并目錄合爲四十一卷目爲昌黎先生集傳於代又有注論語十卷傳學者順宗實錄五卷列於史書不在集中先生諱愈字退之官至吏部侍郎餘在國史本傳

唐尚書刑部侍郎贈尚書右僕射文公孫逖集序

顏眞卿

古之爲文者所以導達心志發揮性靈本乎詠歌終乎雅頌帝庸作而君臣動色王澤竭而風化不行政之興衰實繫于此然而文勝質則繡其鞶帨而血流漂杵質勝文則野於禮樂而木訥不華歷代相因莫能適中故詩人之賦麗以則詞人之賦麗以淫此其效也漢魏以還雅道微缺梁陳斯降宮體聿興旣馳騁於末流遂受嗤於後學是以沈隱侯之論謝康樂也乃云靈均已來此未及覩盧黃門之序陳拾遺也而云道喪五百歲而得陳君若激昂頽波雖無害於過正榷其中論不亦傷於厚誣何則雅鄭在人理亂由俗桑間濮上胡爲乎緜古之時正始皇風奚獨乎凡今之代蓋不然矣其或斌斌彪炳郁郁相宣膺期運以挺生奄寰瀛而首出者其惟僕射孫公乎公諱逖河南鞏人其先自樂安武水寓于涉而徙焉父嘉之以詞學登科官至宋州司馬公風裁激明天才傑出學窮百氏不好非聖之書文統三變特深稽古之道故逸氣上齊而高情四達羌索隱乎渾元之始表獨立於常均之外不其盛歟年數歲即好屬文十五時相國齊公崔日用試土火鑪賦公雅思遒麗援翰立成齊公駭之約以忘年之契邇後遂有大名故其試言也年未弱冠而三擅甲科吏部侍郎王丘試竹簾賦降階約拜以殊禮待之相國燕公張說覽其策而心醉其序事也則伯樂川記及諸碑誌皆卓立千古傳於域中其爲詩也必有逸韻佳對冠絶當時布在人口其詞言也則宰相張九齡欲掎摭疵瑕沈吟久之不能易一字公之除庶子也苑咸草詔曰西掖掌綸朝推無

對議者以爲知言凡斯夥多庸可悉數故燕國深賞公才倬與張九齡許景先韋述同遊門庭命予均堉施伯仲之禮江夏李邕自陳州入計繕寫其集齎以詣公託知己之分其爲先達所重也如此公又雅有清鑒典考功時精覈進士雖權要不能俯所獎擢者二十七人數年閒宏詞判等入甲第者一十六人授校書者九人其餘咸著名當世已而多至顯官明年典舉亦如之故言第者必稱孫公而已夫然信可謂人文之宗師國風之哲匠者矣公凡所著詩歌賦序策問贊碑志表疏制誥不可勝紀遭二朝之亂多有散落子裍絳成等夙奉過庭之訓咸以文章知名同時臺省乃編次公文集爲二十卷列之于左庶乎好事者傳寫諷誦以垂乎無窮亦何必藏名山而納石室也金紫光祿大夫檢校刑部尚書上柱國魯郡開國公顏眞卿昔觀光乎天府實荷公之獎擢見命爲序豈究端倪時則永泰元年仲秋之月也至若世系閥閱蓋存諸別傳此不復云

唐尚書比部郎中博陵崔元翰文集序

權德輿

易賁之彖曰觀乎人文以化成天下故闕里之四教門人之四科未有遺文者荀況孟軻修道著書本於仁義經術之枝派也迨夫騷人怨思之作游士從衡之論刺譏捭闔文憲陵夷至漢廷賈誼劉向班固揚雄司馬遷相如之倫鬱然復興有古風烈然則文之用也橫三才之中經紀事物章明統類不可已也殷之說命周之命君陳君牙楚射父之訓辭鄭東里之潤色天子諸侯告命之文也張老之輪奐史克之駉駜吉甫之清風伯喈之無愧賢士大夫頌述之文也至若夫子紀延陵墓叔向寓子產書董仲舒射策言天人相與之際阮元瑜書記翩翩之任觭類滋多非文不彰後之人力不足者詞或侈靡理或底伏文之難能也如是博陵崔君元翰東漢濟北相長岑令之後也曾祖某濟州刺史祖某鳳閣舍人考某以經明歷衢州汲縣尉虢州湖城縣主簿親沒遂不復仕探古

先微言著尙書洪範周易忘象及三國春秋幽觀之書門人諸儒易其名曰貞文孝父君紹文宗雕龍之慶究貞文法義之學潔廉淸方敦直莊明博見强志不取合於俗默而好深湛之思舒而爲彬蔚之文師遵六籍磅礴二漢不爲物遷不爲波流初閉關隱約於河朔之閒年殆知天命甫與計偕至京師洎博學宏詞直言極諫凡三登甲科名動天下初自典校祕書連辟汧公北平王司徒府管奏記之職歷太常寺協律郎大理評事錫以命服登朝爲太常博士禮部員外郎貞元七年春轉職方員外郎知制誥八年冬罷爲比部郎中十一年夏寢疾不起其壽四十甲子其文若干篇閎茂博厚菁華縝密足以希前古而警後學紀循吏而述政事則房柏鄉碣孫信州頌敘守臣勳烈則黎陽城碑劉幽州一作永神道碑表宗工賢人兆域則李太師梁郎中誌文撰門中德善則貞文孝父誌碣二銘攄志氣以申感慨則與李都統及二從事書詮槃門心法則大覺禪師碑推入情以陳聖德則請復尊號表鋪陳理道則有制策藻潤王度則有詔誥獨所敘詩書說命騶頌而下君皆索其粹精故能度越倫類有盛名於代其他詩賦贊論銘誄序記等合爲三十卷如黃鍾玉磬琮璧琬琰奏於懸閒列在西序其章章者雖漢廷諸公不能加也無溢言曼辭以爲夸大無譎笑柔色以資孟晉勁直而不能屈己淸剛而不能容物介特寡徒晚達中廢斯亦命之所賦也德輿昔歲獲與君遊於江湖閒又接武侍從登文石之陛常所論著備採覩徧君之孤某旣除喪泣捧遺文見咨序引故如其篇第直書以冠之云爾

唐左補闕安定皇甫冉文集序　獨孤及

五言詩之源生於國風廣於離騷著於李蘇盛於曹劉其所自者遠矣當漢魏閒雖已朴散爲器作者猶質有餘而文不足以今揆昔則有朱弦疏越大羹遺味之歎歷千餘歲至沈詹事宋員外始財成六呂彰施五色使言之而中倫歌之而成聲緣情綺靡之功至是乃備雖去雅寖遠其麗有過於古者亦猶路鼗出於土鼓篆

籀生於鳥跡也沈宋既歿而崔司勳顥王右丞維復崛起於開元天寶之間得其門而入者當代不過數人補闕其人也補闕諱冉字茂政玄晏先生之後潭州刺史諱敬德之曾孫樂平縣令諱价之孫潭州長史諱顗之子十歲能屬文十五而老成右丞相曲江張公深所歎異謂清穎秀拔有江徐之風伯父祕書少監彬尤器之自是令問休暢舉進士第一歷無錫尉左金吾兵曹今相國太原公之推轂河南也辟爲書記大厤二載遷左拾遺轉左補闕奉使江表因省家至丹陽朝廷虛三署郎位以待君之復不幸短命年方五十四而歿嗚呼惜哉君忠恕廉恪居官可紀孝友恭讓自內形外言必依仁交不苟合得喪喜慍罕見於容故觀君述作知君所尚以爲命不永斯文未臻其極也蓋存於遺札者凡三百有五十篇其詩大略以古之比興就今之聲律涵泳風騷憲章顏謝至若麗曲感動逸思奔發則天機獨得非師資所獎每舞雩詠歸或金谷文會曲水修禊南浦愴別新聲秀句輒加於常時一等才鍾於情故也君母弟殿中侍御史曾字孝常與君同稟學詩之訓君有誨誘之助焉既而麗藻競爽盛名相亞同乎聲者方之景陽孟陽孝常既除喪懼遺製之墜于地也以某與茂政前後爲諫官故銜痛編集以論譔見託遂著其始終以冠于篇

唐左補闕李翰前集序　　梁肅

文之作上所以發揚道德正性命之紀次所以裁成典禮厚人倫之義又其次所以昭顯義類立天下之中三代之後其流派別炎漢制度以霸王道雜之故其文亦二賈生馬遷劉向班固其文博厚出於王風者也枚叔相如揚雄張衡其文雄富出於霸塗者也其後作者理勝則文薄文勝則理消理消則言愈繁繁斯亂矣文薄則意愈巧巧斯弱矣故文本於道失道則摶之以氣氣不足則飾之以辭蓋道能兼氣氣能兼辭辭不當則文斯敗矣唐有天下幾二百載而文章三變初則廣漢陳子昂以風雅革浮侈次則燕國張公說以宏茂廣波瀾天寶以還則李員外蕭功曹賈常侍獨

孤常州比肩而作故其道益熾若乃辭源辯博馳騖古今之際高步天地之間則有左補闕李君君名翰趙郡贊皇人也天姿朗秀率性聰達博涉經籍其文尤工故其作叙治亂則明白坦蕩紆徐條暢端如貫珠之可觀也陳道義則游泳性情探微黯冥渙乎春冰之將泮也廣勸戒則得失相維吉凶相追焯乎元龜之在前也頌功美則溫直顯融協于大中穆如清風之中人也議者又謂君之才若崇山出雲神禹導河觸石而彌六合隨山而注巨壑蓋無物足以遏其氣而閱其行者也世所謂文章之雄舍君其誰歟弱冠進士登科解褐衛縣尉其後以書記再參淮南節度軍謀累遷大理司直天子聞其才召拜左補闕俄加翰林學士夫士之處世用舍關乎才進退牽乎時始君筮仕值蔽善者當路故屈於下位天寶末房公琯韋少師陟薦公充史官諫司之任當國者不聽乃已中歲多難時方用武故委於外藩及夫入宣室而揮宸翰也方用人文以飾王度則因疾罷免嘻昔之君子賢人運與事并得信其志者寡其用矣其餘屬雅道喪缺黃

鐘毀棄若孟子轗軻士安多病亦何可勝論惟斯文足以振當世餘烈足以遺後嗣此之謂不朽君既退歸屋于河南之陽翟家愈貧而祿不及志愈邁而文益壯暇日以嘗所述作三十卷目爲前集命予序之君與予實有伯喈仲宣之義故書于篇

唐右補闕梁肅文集序　崔恭

叙曰皇甫士安志好閒放不榮軒冕導情適志作高士傳贊記遺韻風猷尚在而公早從釋氏義理生知結意爲文志在於此言談語笑常所切劘心在一乘故叙釋氏最爲精博與皇甫士安之所素尚亦相放焉則今天台大師元浩之門弟子也摳衣捧席與余同焉故能知其景行收其製作編成二十軸以爲儒林之綱紀云若夫明是非探得失乃作西伯稱王議宗道德美功成作磻溪銘四皓贊釣臺碑圮橋碑絜當世激清風作先賢贊獨孤常州集序觀講論語序美藝文善章句作李補闕集序隱士李君遺文序備教化彰諷詠作中書侍郎贈太子太傅李公集序開國公包君集

序總名實樹遺風作常州獨孤公遺愛頌太常卿常山郡開國公崔公神道碑惡戎醜思康濟作兵箴敘宗系思祖德作述初賦病流濫悅故居作過舊園賦明大道宗有德作受命寶賦其餘言志導情記會敘別總存諸集錄歸根復命一以貫之作心印銘住一乘明法體作三如來畫贊知法要識權實作天台山禪林寺碑達教源周境智作荆溪大師碑大教之所由佛日之未忘蓋盡於此矣若以神道設教化源旁濟作泗州開元寺僧伽和尚塔銘言僧事齊律儀作過海和尚碑銘幽公碑銘釋氏制作無以抗敵大法將滅人鮮知之唱和之者或寡矣故公之文章粹美深遠無人能到此事可以俟於知音不可與薄俗者同世而論也余之仰止未盡其善蓋釋氏之鼓吹歟諸佛之影響歟余所不者道其窮歟常懷不言之歎杳冥之恨爾後之人識達希夷意通響象知我之言之不怍耳若以敘人倫正褒貶則人皆知之非獨情至而稱其製作也大約公之習尚敦古風閱傳記硜硜然以此導引於人以爲

其常米鹽細碎未嘗挂口故鮮通人事亦賢者之一病也夫子所謂君子多乎哉不多也故無適時之用任使之勤余故以皇甫士安比之若管夷吾諸葛亮留心濟世自謂棟梁則非公之所尚也所謂善古而不善今知賢而不知俗故論贊碑頌能言賢者之事不能言小人之稱享年若干以某年月日終于長安某里朝廷尙德故以公爲太子侍讀國尙賢錄故以公爲史館修撰發誥令敷王猷故以公爲翰林學士三職齊署則公之處朝廷不爲不達矣年過四十士林歸榮比夫顏子黃叔度不爲不壽矣其碌碌者老於郎署白首人世又何補哉於達者不可以夭壽之歎而病於促數焉公遺孤歿後而生今已成立則友朋之知臧孫之後存於此也

唐司封員外郎李華中集序　獨孤及

志非言不形言非文不彰是三者相爲用亦猶涉川者假舟楫而後濟自典謨缺雅頌寢王道陵夷文教下衰故作者往往先文字

[illegible]

[illegible]

也

書吏部員外郎趙郡李公中集序　　獨孤及

志非言不形言非文不彰是三者相為用亦猶涉川者假舟楫而
後濟自典謨缺雅頌寢王道陵夷文教下衰故作者往往先文字後比

後比興其風流蕩而不返乃至有飾其詞而遺其意者則潤色愈工其實愈喪及其大壞也儷偶章句使枝對葉比以八病四聲爲梏拳守之如奉法令闡皋陶史克之作則呷然笑之天下雷同風馳雲趨文不足言言不足志亦猶木蘭爲舟翠羽爲楫翫之於陸而無涉川之用痛乎流俗之惑人也久矣帝唐以文德敷乂于下民被王風俗稍丕變至天后時陳子昂以雅易鄭學者寖而嚮方天寶中公與蘭陵蕭茂挺長樂賈幼幾勃焉復起用三代文章律度當世公之作本乎王道大抵以五經爲泉源抒情性以託諷然後有歌詠美教化獻箴諫然後有賦頌懸權衡以辯天下公是非然後有論議至若記敘編錄銘鼎刻石之作必採其行事以正褒貶非夫子之旨不書故風雅之指歸刑政之根本忠孝之大倫皆見於詞然後中古之風復形於今于時文士馳騖飈扇波委二十年間學者稍厭折楊黃華而窺咸韶之音者什五六識者謂之文章中興公實啓之公名華字遐叔趙郡人安邑令府君第三子質直而和純固而明曠遠而有節中行而能斷孝敬忠廉根於天機執親之喪哀達神明其任職聲務外若坦蕩而內持正性謙而不犯見義乃勇舉善惟懼不及務去惡如復讎與朋友交然諾著於天下其偉詞麗藻則和氣之餘也學博而識有餘才多而體愈迅每述作則筆端風生聽者耳駭開元二十三年舉進士天寶二年舉博學宏詞皆爲科首由南和尉擢祕書省校書郎八年歷伊闕尉當斯時唐興百三十餘年天下一家朝廷尙文夫昇工平中微拙於使人無已譽公才與時并故不近名而名彰時輩歸望如鱗羽之於虬鸞也十一年拜監察御史會權臣竊政柄貪獨當路公入司方書出按二千石持斧所嚮列郡爲肅爲姦黨所嫉不容於御史府除右補闕祿山之難方命圯族者蔽天聰明勇者不得奮明者不得謀公危行正詞獻納以誠累陳誅兇渠完封疆之策闔犬迎吠故書留不下時繼太夫人在鄴初潼關敗書聞或勸公走蜀詣行在所公曰奈方寸何不若間行問安否然後輦母安輿而

逃謀未果爲盜所獲二京既復坐謫杭州司功參軍太夫人棄養公自傷悼以事君故踐危亂而不能安親既受汙非其疾而貽親之憂及隨牒願終養而遭天不弔由是銜罔極之痛者三故雖除喪抱終身之戚焉謂志已厭息陳力之願焉因屏居江淮間省躬遺名誓心自絕無何詔授左補闕又加尙書司封員外郎璽書連徵公卿以下傾首延佇至止之日將以司言處公公曰焉有虧節辱志者可以荷君之寵乎遂移疾請告故相國梁公峴之領選江南也表爲從事加檢校吏部郎中明年遇風痺徙家于山陽疾痼貧甚課子弟力農圃贍衣食雅好修無生法以冥寂思慮視爵祿形骸與遺土同惟吳楚之士君子譔家傳修墓版及郡邑頌賢守宰功德者靡不齎貨幣越江湖求文於公得請者以爲子孫榮公遇勝日時復綴錄以應其求過是而往不復著書素所著者多散落人閒自志學至校書郎以前八卷并舜（常一作）山公主誌文寶將軍神道碑崔河南生祠碑禮部李侍郎碑安定三孝論哀舊遊詩

韓幼深避亂詩序祭王端員外沈起居興宗裴員外騰文別元亘詩并楊騎曹集序王常山碑並因亂失之名存而篇亡自監察御史以後迄至于今所著述者公長男萧字宗叙編而集之斷自監察御史已前十卷號爲前集其後二十卷頌賦詩歌碑表序論誌記讚祭文凡一百四十四篇爲中集其中陳王業則無疆頌議世道則原卜論質文論主文而譎諫則言醫含元殿賦敦禮教則哀節婦賦二孝讚與外孫女二孩書表賢達盛德則元魯山碣房太尉德政銘崔賓客集序平原張公頌梁國李公傳德先生誄權著作墓表李夫人傳龜夫人頌一生一死之閒抒其交情則祭蕭功曹劉評事張博士文吟詠情性達於事變則詠古詩辨卿大夫族姓則盧監察神道碑思舊則三賢論自敘則別相里造范倫序詮佛教心要而會其異同則南泉眞禪師左溪朗禪師碑其餘雖比興萬變而未始不根於道德故覽公之文知公之質不俟覿容貌聽詞氣而後覩其行若使束帶立於史臣之位具備獻替足以潤

色王度正一代之訓典天而病之國不幸也然退叔身甚病而心甚壯文益贍而才不竭則前路逸氣詎可度矣他日繼於此而作者當爲後集及常遊公之藩也久故錄其述作之所以然著于篇

唐尚書禮部員外郎柳宗元文集序　劉禹錫

八音與政通而文章與時高下三代之文至戰國而病涉秦漢復起漢之文至列國而病唐興復起夫政厖而土裂三光五岳之氣分扶問切太音不完故必混一而後大振初貞元中上方嚮文章昭回之光下飾萬物天下文士爭執所長與時而奮粲焉如繁星麗天而芒寒色正人望而敬者五行而已河東柳子厚斯人望而敬者歟子厚始以童子有奇名於貞元初至九年爲名進士十有九年爲材御史二十有一年以文章稱首入尚書爲禮部員外郎是歲以疏隽少檢獲訕出牧邵州又謫佐永州居十年詔書徵不用遂爲柳州刺史五歲不得召病且革留書抵其友中山劉禹錫曰我不幸卒以謫死以遺草累故人禹錫執書以泣因編次爲四十五一作三十二通行於世子厚之喪昌黎韓退之誌其墓且以書來弔曰哀哉若人之不淑吾嘗評其文雄深雅健似司馬子長崔蔡不足多也安定皇甫湜於文章少所推讓亦以退之言爲然凡子厚名氏與仕與年暨行己之大方有退之之誌若祭文在今附于第一通之末云

唐右拾遺陳子昂文集序　盧藏用

昔孔宣父以天縱之才自衞反魯乃刪詩定禮述易道而修春秋數千百年文章粲然可觀也孔子殁二百歲而騷人作於是怨麗浮侈之法行焉漢興二百年賈誼馬遷爲之傑憲章禮樂有老成之風長卿子雲之儔瑰詭萬變亦奇特之士也惜其王公大人之言溺於流雜而不顯其後班張崔蔡曹劉潘陸隨波而作雖大雅不足其遺風餘烈尚有典型宋齊之末蓋顦顇矣逶迤陵穨流靡忘返至于徐庾天之將喪斯文也後進之士若上官儀者繼踵而生於是風雅之道掃地盡矣易曰物不可以終否故受之以泰道

喪五百歲而得陳君君諱子昂字伯玉蜀人也崛起江漢虎視函夏卓立千古橫制頹波天下翕然質文一變非夫岷峨之精巫廬之靈則何以生此故其諫諍之辭則爲政之先也昭夷之碣則議論之當也國殤之文則大雅之怨也徐君之議則刑禮之中也至於感激頓挫微顯闡幽庶幾見變化之朕以接乎天人之際者則感遇之篇存焉觀其逸足駸駸方將摶扶搖而凌太清獵遺風而薄嵩岱吾見其進未見其止惜乎湮厄當世道不偶時委骨巴山年志俱夭故其文未極也嗚呼聰明精粹而淪剝貪叨桀驁以顯榮天乎天乎吾始未知夫天焉昔嘗與余有忘形之契四海之內一人而已良友歿矣天其喪余今探其遺文可存者編而次之凡十卷恨不逢作者不得列於詩人之什悲夫故粗論文變而爲之序至於王霸之才卓犖之行則存之別傳以繼於終篇云

唐衡州刺史吕溫文集序　劉禹錫

五行秀氣得之居多者爲雋人其色激灩於顏間其聲發而爲文

章天之所與有物來相彼由學而致者如工人染夏以視羽畎有生死之殊矣初貞元中天子之文章煥乎垂光慶霄在上萬物五色天下人文爲氣所召其生乃蕃靈芝蓮莆與百果齊坼然煌煌翹翹出乎其類終爲偉人者幾希矣東平吕和叔實生是時而絶人甚遠始以文學振三川三川守以爲貢士之冠名聲四馳速如羽翼長安中諸生咸避其鋒兩科連中鋩刃愈出德宗聞其名自集賢殿校書郎擢爲左拾遺明年犬戎請和上問能使絶域者君以奇表有專對材膺選轉殿內史錫之銀章還拜尚書戶部員外郎轉司封遷刑部郎中兼侍御史副治書之職會中執法左遷緣坐出爲道州刺史以善政聞改衡州年四十而歿後十年其子安衡泣奉遺草來謁余予伸之成一家言凡二百篇勒成十卷和叔名溫別字化光祖考皆以文學至大官蚤聞詩禮於先侍郎又師吳郡陸質通春秋從安定梁肅學文章勇於藝能咸有所祖年益壯志益大遂撥去文字與雋賢交重氣槩覈名實歆然以致君及

物爲大欲每與其徒講疑考要皇王富強之際臣子忠孝之道出入上下百千年閒詆訶角逐疊發連中得一善輒盱衡擊節揚袂頓足信容得色舞于眉端以爲案是言循是理合乎心而氣將之昭然若揭日月而行孰能朔其勢而爭天光者乎嗚呼言可信而時異道甚長而命窄精氣爲物其有所歸乎古之爲書者先立言而後體物賈生之書首過秦而荀卿亦後其賦和叔年少遇君而卒以讁似賈生能明王道似荀卿故予先後視二書斷自人文化成論至諸葛武侯廟記爲上篇其他咸有爲而爲之始學左氏書故其文微爲富豔夫羿之關弓惟巴蚪九日乃能盡其彀而迴注鵰鵮亦要失中於尋常之閒非羿之手弓有能有不能所遇然也後之達解者推而廣之知予之素交不相索於文字之內而已

文粹卷弟九十二

文粹卷弟九十三

吳興 姚鉉 纂

序三 總一十七首

集序

唐故著作佐郎顧況集序 皇甫湜

吳中山泉氣狀英淑怪麗太湖異石洞庭朱實華亭清唳與虎邱天竺諸佛寺鈎綿秀絕君出其中間翕輕清以爲性結泠汰以爲質煦鮮榮以爲詞偏於逸歌長句駿發踔厲往往若穿天心出月脇意外驚人語非尋常所能及最爲快也李白杜甫已死非君將誰與哉君字逋翁諱況以文入仕其爲人類其詞章嘗從韓晉公於江南爲判官驟成其磊落大績入佐著作不能慕順爲衆所排

爲江南郡丞累歲脫縻無復北意起屋於茅山意飄然若將續古二仙以壽九十卒湜以童子見君揚州孝感寺君披黃衫白絹鞜頭眸子瞭然烱烱清立望之眞白圭振鷺也旣接歡然以我爲揚雄孟軻顧恨不及見三十年於茲矣知音之厚曷嘗忘諸去年從丞相涼公襄陽有曰顧生非熊者在門訊之卽君之子也出君之詩集二十卷泣請余發之涼公適移蒞宣武軍余裝歸洛陽諾而未副今又稔矣生來速文乃題其集之首爲序

唐太常寺奉禮郎李賀歌詩集序　杜牧

大和五年十月中半夜時舍外有疾呼傳緘書者某曰必有異亟取火來及發之果集賢學士沈公子明書一通曰我亡友李賀元和中義愛甚厚日夕相與起居飲食賀且死嘗授我平生所著歌詩離爲四編凡二百二十三首數年來東西南北良爲已失去今夕醉解不復得寐卽閱理篋帙忽得賀詩前所授我者思理往事凡與賀話言嬉遊一處所一物候一日夕一觴一飯顯顯焉無有

忘棄者不覺出涕賀復無家室子弟得以給養卹問常恨想其人詠其言止矣子厚於我與我爲賀集序盡道其所來由亦少解我意某其夕不果以書道其不可明日就公謝且曰世謂賀才絕出於前讓居數日某深惟公曰公於詩爲深妙奇博且復盡知賀之得失短長今實叙賀不讓必不能當公意如何復就謝極道所不敢叙賀公曰子固若是是當慢我某因不敢復辭勉爲賀叙然某甚慙賀唐皇諸孫字長吉元和中韓吏部亦頗道其歌詩雲煙緜聯不足爲其態也水之迢迢不足爲其情也春之盎盎不足爲其和也秋之明潔不足爲其格也風檣陣馬不足爲其勇也瓦棺篆鼎不足爲其古也時花美女不足爲其色也荒國陊殿梗莽邱隴不足爲其恨怨悲愁也鯨呿鼇擲牛鬼蛇神不足爲其虛荒誕幻也蓋騷之苗裔理雖不及辭或過之騷有感怨刺懟言及君臣理亂時有以激發人意乃賀所爲得無有是賀能探尋前事所以深歎恨今古未嘗經道者如金銅仙人辭漢歌補梁庾肩吾宮體謠

求取情狀離絕遠去筆墨畦逕間亦殊不能知之賀生二十七年死矣世皆曰使賀且未死少加以理奴僕命騷可也賀死後凡十五年京兆杜某爲其序

唐故四門助教歐陽詹文集序　李貽孫

歐陽君生于閩之里幼爲兒孩時卽不與衆童親狎行止多自處年十許歲里中無愛者每見江濱山畔有片景可採心獨娛之常執卷一編忘歸於其間逮風月清暉或暮而尙留窅不能釋不自知所由蓋其性所多也未甚識文字隨人而問章句忽有一言契於心移日自得長吟高嘯不知其止也父母不識其志每常謂里人曰此男子未知其旨何如要恐不爲汨没之餓氓也未知爲吉邪凶邪鄉人有覽事多而熟於聞見者皆賀之曰此若家之寶也柰何慮之過歟自此遂日知書服聖人之教慕愷悌之化達君臣父子之節忠孝之際唯恐不及操筆屬詞其言秀而多思率人所未言者君道之甚易由是振發於鄉里之間建中貞元時文詞崛

興遂大振耀甌閩之鄉不聞有他人也會故相常袞來爲福之觀察使有文章高名又性頗嗜誘進後生推拔於寒素中唯恐不及至之日比君爲芝英每有一作屢加賞進遊娛燕饗必召同席君加以謙德動不踰節常公之知又日深矣君之聲漸騰於江淮且達於京師矣時人謂常公能識眞尋而陸相贄知貢舉搜羅天下文章得士之盛前無其倫故君名在牓中常與君同道而相上下者有韓侍郎愈李校書觀洎君並數百歲傑出人到于今伏之君之文新無所襲才未嘗困精於理故言多周詳切於情故敘事重複宜其司當代文柄以變風雅一命而卒天其絶予君於貽孫言舊故之分於外氏爲一家故其屬文之內多爲予伯舅所著者有南陽孝子傳有韓城縣尉廳壁記有與鄭居方書皆可徵於集故予沖幼之歲卽拜君於外家之門大和中予爲福建團練副使日其子價自南安抵福州進君之舊文共十編首尾凡若干首泣拜請序予已諾其命矣而詞竟未就價微有文又早死大中六年予

又爲觀察使令訪其裔因獲其孫曰澥不可使歐陽氏之文遂絕其所傳也爲題其序亦以卒後嗣之願云

唐太子校書李觀文集序　　陸希聲

貞元中天子以文化天下天下翕然興於文文之尤高者李元賓觀韓退之愈始元賓舉進士其文稱居退之之右及元賓死退之之文日益高今之言文章元賓反出退之之下論者以元賓早世其文未極退之窮老不休故能卒擅其名予以爲不然要之所得不同不可以相上下者文以理爲本而辭質在所尚元賓尚於辭故辭勝其理退之尚於質故理勝其辭退之雖窮老不休終不能爲元賓之辭假使元賓後退之之死亦不能及退之之質此所以不相見也夫文興於唐虞而隆於周漢自明帝後文體寖弱以至於魏晉宋齊梁隋嫣然華媚無復筋骨唐興猶襲隋故態至天后朝陳伯玉始復古制當世高之雖博雅典實猶未能全去諧靡至退之乃大革流弊落落有老成之風而元賓則不古不今卓然自

作一體激揚發越若絲竹中有金石聲每篇得意處如健馬在御蹀蹀不能止其所長如此得不謂之雄文哉自廣明喪亂天下文集略盡予得元賓文於漢上惜其恐復磨滅因條次爲三編論其意以冠於首大順元年十月日給事中陸希聲序

唐揚州功曹蕭穎士文集序　　李華

開元天寶閒詞人以德行著於時者曰河南元君德秀字紫芝其行事趙郡李華爲墓碣已書之矣以文學著於時者曰蘭陵蕭君穎士字茂挺梁國鄱陽忠烈王之後曾祖某官大父某官考諱某莒縣丞咸有德不至尊位君七歲能誦數經背碑覆局十歲以文章知名十五譽滿天下十九進士擢第歷金壇尉桂揚一作州參軍祕書正字河南參軍辭官避地江左永王修書請君君遁逃不與相見淮南連帥表君爲揚州功曹參軍相國諸道租庸使第五琦請君爲介君以先世寄殯葛條因之遷祔終事至汝南而沒春秋若干嗚呼天下儒林爲之憔悴君爲金壇尉也會官不成爲揚州

參軍也丁家艱去官爲正字也親故請君著書未終篇御史府以君爲慢官離局奏謫罷職爲河南參軍也僚屬多嫉君才名上司以吏事責君君拂衣渡江遇天下多故其高節深識皎皎如此君謂六經之後有屈原宋玉文甚雄壯而不能經厥後有賈誼文詞詳正近於理體枚乘司馬相如亦瓌麗才士然而不近風雅揚雄用意頗深班彪識理張衡宏曠曹植豐贍王粲超逸嵇康標舉此外皆金相玉質所尚或殊不能備舉左思詩賦有雅頌遺風干寶著論近乎王化根源此外皆闃絕無聞焉近日陳拾遺子昂文體最正以此而言見君之述作矣君以文章制度爲己任時人咸以此許之不幸沒於旅次有文十卷行於世其篇目雖存章句遺逸古所謂有其義而無其辭者也後之爲文者取以爲法焉今海內至廣人民至眾求君之比不可復得難乎哉君有子一人曰存爲蘇州常熟縣主簿雅有家風知名於世以華平生最深見託爲序力疾直書云爾

崔公山池後集序 李翰

崔公吏於華葉再黃矣士之才也天高其興益之以小山爲山臨清池峭絕孤踊岑無一仞波無一勺而洲嶼縈帶巒崖盤鬱則巫廬衡霍不出於庭閒矣若其琴幌朝開書堂晚清綠筠森疏下見松雪登蕙蘭之徑諷瓊瑤之章則雍雍詠歌盡在丹壁又與一二文士以吟以賦謂之後集焉

東皋子集序 呂才

君姓王氏諱勣字無功太原祁人也高祖晉穆公自南歸北始家河汾焉歷宋魏迄于周隋六世冠冕國史家牒詳焉君性好學博聞強記與李播陳永呂才爲莫逆之交陰陽厤數之術無不洞曉大業末應孝悌廉絜舉射高第除祕書正字君性簡放飲酒至數斗不醉常云恨不逢劉伶與閉戶轟飲因著醉鄉記及五斗先生傳以類酒德頌云雅善鼓琴加減舊弄作山水操爲知音者所賞高情勝氣獨步當時及爲正字端簪理笏非其好也以疾罷乞署

外職除揚州六合縣丞君篤於酒德頗妨職務時天下亂藩部法嚴屢被勘劾君歎曰羅網高懸去將安所遂出所受俸錢積於縣城門前託以風疾輕舟夜遁隋季板蕩客遊河北去還龍門武德中詔徵以前揚州六合縣丞待詔門下省時省官例日給良醞三升君第七弟靜爲武皇千牛謂曰待詔可樂否君曰吾待詔祿俸殊爲蕭瑟但良醞三升差可戀爾待詔江國公君之故人也聞之曰三升良醞未足以絆王先生判日給王待詔一斗時人號爲斗酒學士貞觀初以足疾罷歸欲定長往之計而困於貧貞觀中以家貧赴選時太樂有府史焦革家善醞酒冠絕當時君苦求爲太樂丞選司以非士職不授君再三請曰此中有深意且士庶清濁天下所安不聞莊周避漆園老聃恥柱下卒授焉數月而焦革死妻袁氏時送美酒歲餘袁又死君歎曰天遏不令吾飽美酒遂挂冠歸田自是太樂丞爲清流君後追述焦革酒經一卷其術精悉兼採杜康儀狄已來善爲酒人爲酒譜一卷太史令李淳風見而

悅之曰王君可謂酒家之南董君歷職皆以好酒鄉里或哈之因著無心子以喻志河汾中先有渚田十數頃稱良沃鄰渚又有隱士仲長子光服食養性君重其貞素願與相近遂結廬河渚縱意琴酒慶弔禮絕十有餘年河渚東南隅有連沙磐石地頗顯敞君於其側遂爲杜康立廟歲時致祭以焦革配焉貞觀中京兆杜松之清河崔公善繼爲本州刺史皆請與君相見君曰柰何悉欲坐召嚴君平竟不見崔杜高君調趣卒不敢屈但歲時贈以美酒鹿脯詩書往來不絕君又葛巾聯牛躬耕東皐每著書自稱東皐子晚歲醉飲無節鄉人或諫止之則笑曰汝輩不解理正當然或乘牛駕驢出入郊郭止宿酒店動經歲月往往題詠作詩好事者錄之諷詠並傳於代貞觀十八年終于家時年若干臨終自剋死日遺命薄葬兼預自爲墓誌所著詩賦並多散逸鳩訪未畢且緝成五卷又著會心高士傳五卷酒譜二卷及注老子並别成一家不列於集云

刪東臯子集序　陸湣

湣聞於師曰秉仁義立好惡方之内者也等是非遺物我方之外者也冥內而遊外聖人也聖人吾不得見之矣方內者時有焉其惟方外之徒莫得而測也豈踐跡之道易忘言之理難邪將羣於人而內自得邪何乃莊叟之後縣歷千祀幾於是道者余得之王君焉心與物冥德不外蕩隨變而適卽分而安忘所拘而迹不害教遺其累而道不絕俗故有陶公之去職言不怨時有阮氏之放情行不迕物曠哉淵乎眞可謂樂天之君子者矣生於隋季人莫之知故其遺文高跡不顯余每覽其集想見其人恨不同時得爲忘形之友故祛彼有爲之詞全其懸解之志庶乎死而可作無愧異代之知音爾其祖宗之由出處之行前序備矣此不復云

唐中嶽宗元先生吳筠尊師文集序　權德輿

道之於物無不由也無不貫也而況本於玄覽發爲至言言而蘊道猶三辰之麗天百嘉之麗地平夷章大恬澹溫粹飄飄然軼八

紘而泝三古與造物者爲徒其不至者遺言則華涉理則泥雖辯麗可嘉采眞之士不與也宗元先生吳君其知言者歟先生諱筠字貞節華陰人生十五年篤志於道與同術者隱于南陽倚帝山閱覽古先遐蹈物表芝耕雲臥聲利不入天寶初玄纁鶴書徵至京師用希夷啟沃略合玄聖請度爲道士宅於嵩邱乃就馮尊師齊整受正一之法初梁貞白陶君以此道授昇玄王君王君授體玄潘君潘君授馮君自陶君至於先生凡五代矣皆以陰功救物爲王者師十三年召入大同殿尋又詔居翰林玄宗在宥天下順風祈嚮乃獻玄綱三篇優詔嘉納志在遐舉累章乞還以禽魚自況藪澤爲樂得請未幾盜泉汙于三川羽衣虛舟泛然東下棲匡廬登會稽浮浙河息天柱隱機埋照順吾靈龜有時放言以暢天理且以圜公歌詠於紫芝弘景怡悅於白雲故屬詞之中尤工比興觀其自古王化詩與大雅吟步虛詞遊仙雜感之作或遐想理古以哀世道或磅礴萬象用冥環樞稽性命之紀達人事之變大

率以齋神挫銳爲本至於奇彩逸響琅琅然若戛雲璈而淩側景崑閬松喬森然在目追近古游方外而言六義者先生實主盟焉至若總論谷神之妙則有玄綱篇哀蓬心蒿目之遠於道也則有神仙可學論疏瀹澡雪使無落吾事則有洗心賦巖棲賦修眢中之誠而休乎天均則有心目論契形神頌其他抗章寓書贊美序別非道不言言而可行泊然以微妙卓爾而昭曠合爲四百五十篇博大真人之言盡在是矣以大厤十三歲歲直鶉首止于宣城道觀焚香返眞於虛室之中門弟子有邵冀玄者率籲其徒寗神于天柱西麓從其命也太原王顏常悅先生之風探道也熟自先生化去三歲顏爲御史中丞類其遺文爲三十篇拜章上獻藏在祕府冀玄者偏得先生之道如槁木止水刳心遺形自先生化去二十五歲以其文編請予序引庶傳永久其有逍遙卓詭之論猶不列於此至若挺神奇袪鬼怪告鍊蛻之地合肸蠁之符皆備於刻金石者之說今徒采獲斯文以序崖略且俾後學知道者必知言云

唐釋靈澈上人文集序　劉禹錫

釋子工爲詩尚矣休上人賦別怨約法師哭范尚書咸爲當時才士之所傾歎厥後比比有之上人生於會稽本湯氏子聰察嗜學不肯爲凡夫因辭父兄出家號靈澈字源澄雖受經論一心好篇章從越客嚴維學爲詩遂藉藉有聞維卒乃抵吳興與長老詩僧皎然游講藝益至皎然以書薦于詞人包侍郎佶包得之大喜又以書致于李侍郎紓是時以文章風韻主盟于世者曰包李以是上人之名由二公而飈如雲得風柯少葉張以文章接才子以禪理悅高人風儀甚雅談笑多味貞元中西游京師名振輦下緇流嫉之造飛語激動中貴人侵誣得罪徙汀州入會稽會赦歸東越時吳楚間諸侯多賓禮招延之元和十一年終于宣州開元寺年七十有一門人遷之建塔于越之山陰天柱峰之陲從本教也初上人在吳興居柯山與晝公爲侶（皎然字晝時以字行）時予方以兩髦執筆

硯陪其吟詠皆曰孺子可教後相遇于京洛與支許之契爲上人歿後十七年予爲吳郡其門人秀峰捧先師之文來乞辭以志且曰師嘗在吳賦詩近二千首今删取三百篇勒爲十卷自大厤至元和凡五十年閒接詞客文人酬唱則爲十卷今也思行乎昭代求一言羽翼之因爲評曰世之言詩僧多出江左靈一導其源護國襲之清江揚其波法振沿之如幺弦孤韻瞥入人耳非大樂之音獨吳興晝公能備衆體晝公後澈公承之至如芙蓉園新寺詩云經來白馬寺僧到赤烏年謫汀州云青蠅爲弔客黄耳寄家書可謂入作者閫域豈獨雄於詩僧閒邪

篋中集序　　元結

元結作篋中集或問曰公所集之詩何以訂之對曰風雅不興幾及千歲溺於時者世無人哉嗚呼有名位不顯年壽不將獨無知音不見稱頌死而已矣誰云無之近世作者更相沿襲拘限聲病喜尚形似且以流易爲辭不知喪於雅正然哉彼則指詠時物會諧絲竹與歌兒舞女生污惑之聲於私室可矣若令方直之士大雅君子聽而誦之則未見其可矣吳興沈千運獨挺於流俗之中强攘於已溺之後窮老不惑五十餘年凡所爲文皆與時異故朋友後生稍見師效能似類者有五六人於戲自沈公及二三子皆以正直而無祿位皆以忠信而久貧賤皆以仁讓而至喪亡異於是者顯榮當世誰爲辯士吾欲問之天下兵興於今六歲人皆務武斯爲誰嗣已長逝者遺文散失方阻絶者不見近作盡篋中所有總編次之命曰篋中集且欲傳之親故冀其不亡於今凡七人詩二十二首時乾元三年也

唐容州經略使元結文集後序　　李商隱

次山有文編有詩集有元子三書皆自爲之序次山見譽於弱夫蘇氏始有名見取於公浚陽公始得進士第見憎於第五琦元載故其將兵不得授作官不至達母老不得盡其養母喪不得終其哀閒二十年其文危苦激切悲憂酸傷於性命之際自占心經巳

下若干篇是句外曾孫遐東李惲辭收得之聚爲元文後編次山之作其縣遠長大以自然爲祖元氣爲根變化移易之太虛無狀大貴無色寒暑攸出鬼神有職南斗北斗東龍西虎方嚮物色欻何從生啞鐘復鳴黃雉變雄山相朝捧水信潮汐若大壓然不覺其興若大醉然不覺其醒其疾怒急擊快利勁果出行萬里不見其敵高歌酣顏入飲于朝斷章摘句如娠始生狼子豽孫競于跳走翦餘斬殘程露血脈其詳綏柔潤壓抑趨儒如以一國買人一笑如以萬世換人一朝重屋深宮但見其脊牽繂長河不知其載死而更生夜而更明衣裳鐘石雅在宮藏其正聽嚴毅不滓不濁如坐正人照彼佞者子從其翁婦從其姑豎麾爲門懸木爲牙張盇乘車屹不敢入將刑斷死帝不得赦其碎細分擘切截纖顆如墜地碎若大咽上聲餘鋸取朽蠹櫟蟒出毒刺眼楚去聲齒不見可視顧顛踣錯雜汙瀦傷損如在危處如出夢中其總旨會源條綱正目若國大治若年大熟君君堯舜人人羲皇上之視下不知有尊下之望上不知有篡辮頭鑿齒扶服臣僕融風彩露飄零委落耋老者在童齔者蓊邪人佞夫指之觸之薰薰熙熙不識其故吁不得盡其極也而論者徒曰次山不師孔氏爲非嗚呼孔氏於道德仁義外有何物百千萬年聖賢相隨於塗中耳次山之書曰三皇用眞而恥聖五帝用聖而恥明三王用明而恥察嗟嗟此書可以無書孔氏固聖矣次山安在其必師之邪

樊川文集後序　裴延翰

長安南下杜樊鄉酈元長注水經實樊川也延翰外曾祖司徒岐公之別墅在焉上五年冬仲舅自吳興守拜考功郎中知制誥盡吳興俸錢創治其墅出中書直亟召昵密往遊其地一旦談啁酒酣顧顧延翰曰司馬遷云自古富貴其名磨滅者不可勝紀我適稚走於此得官受俸再治完具俄及老爲樊上翁既不自期富貴要有數白首文章異日爾爲我序號樊川集如此則顧樊川一禽魚一草木無恨矣庶千百年未隨此磨滅矣明年遷中書舍人始少

得恙盡搜文章閱千百紙焚擲纔屬留者十二三延翰自撮髮讀書學文率承導誘伏念初出仕入朝三直太史筆比四出守其閒逾二十年凡有撰制大手短章塗藁醉墨碩夥纖屑雖適僻阻不遠數千里必獲寫示以是在延翰久藏蓄者甲乙籤目比校焚外十多七八得詩賦傳錄論辨碑誌序記書啓表制離爲二十編合四百五十首題曰樊川文集嗚呼雖當一時戲感之言孰見魄兆而果驗白邪噫文章與政通而風俗以文移在三代之道以文與忠敬隨之是爲理其與運高下探古作者之論以屈原宋玉賈誼司馬遷相如揚雄劉向班固爲世魁傑然騷人之辭怨刺憤懟雖援及君臣教化而不能霑洽時論相如子雲瓌麗詭譎諷多要寡羨漫無歸不見治亂賈馬劉班乘時若君之善否直谿已臆奮然以拯世扶物爲任纂緒造端必不空言言之所及則君臣禮樂教化賞罰無不包焉竊觀仲舅之文高騁夐厲旁紹曲摭絜簡渾圓勁出橫貫滌濯滓窳支立欹倚呵磨皴㿉如火煦焉爬梳痛痒如水洗焉其抉剔挫偃敢斷果行若誓牧野前無有敵其正視嚴聽前衡後鑾如整冠裳祗謁宗廟其聒蟄爆聾發慄若大呂勁鳴洪鐘橫撞撐裂噎暗戛切韶頀其砭熨嫉惡隄障初終若濡槁於未焚膏癰於未穿栽培教化翻正治亂變醨養瘠堯醲舜薰斯有意趨賈馬劉班之藩牆者邪其文有罪言者原十六衛者戰守二論者與時宰論用兵論江賊二書者上獵秦漢魏晉南北二朝逮貞觀至長慶數千百年兵農刑政措置當否皆能探取前事凡人未嘗經度者若繩裁刀解粉畫線織布在眼見耳聞哉其論往事則阿房宮賦刺當代則感懷詩有國欲亡則得一賢人決遂不亡者則張保皋傳尙古兵柄本出儒術不專任武力者則注孫子而爲其序褒勸賢傑表揭職業則贈莊淑大長公主及故奇章公汝南公墓誌標白歷代取士得才率由公族子弟爲多則與高大夫書諫諍之體非訐醜惡與主鬪激則論諫書若一縣宰因行德教不施刑罰能舉古風則謝守黃州表一存一亡適見交分則祭李處

州文訓勵官業告柬君命擬古典謨以寓誅賞則司帝之誥其餘述喻讚誡興諷愁傷易格異狀機鍵雜發雖緜遠窮幽膿腴魁礨筆酣興健窕眇碎細包詩人之軌憲整揚馬之牙陣聳曹劉之肯氣掇顏謝之物色然未始不撥亂治本綆幅道義鉤深於經史觝禦於理化也故文中子曰言文而不及理王道何從而興乎噫所謂文章與政通風俗以文移某於是以卜盛時理具蹟三代而蔭萬古若躋太華臨溟渤但覩乎積高而杳深不知其磅礴瀰漫所爲遠大者也近代或序其文非有名與位則文學宗老小子既就其集寤寐思慮反覆不翅逾年苟墜承顧付與之言雖晦顯兩不相觧在他人無短其狀者然以高有天幽有神陰有宰物者可自誣抵以甘罰殛故總其條目强自後序至於裁判風雅宰制典刑標翊時濟物之才編志業名位之實則恭俟叔父中書公於前序

毘陵集後序　梁肅

大厤丁巳歲夏四月有唐文宗常州刺史獨孤公既薨門下士安

定梁肅以公茂德映乎當世美化加乎百姓若發揚秀氣磅礴古訓則在乎斯文斯文之盛不可以莫之紀也於是綴其遺草三百篇爲二十卷以示後嗣乃繫其辭曰夫大者天道其次人文在昔聖王以之經緯百度臣下以之弼成五教德又下衰則怨刺形於歌詠諷議彰乎史冊故道德仁義非文不明禮樂刑政非文不立文之興廢視世之治亂文之高下視才之厚薄帝唐接前代澆醨之後承文章顛墜之運王風下扇作者迭起不及百年文體反正其後時寖和溢而文亦隨之天寶中作者數人頗節之以禮（自其後至以禮二十三字從嘉靖本補入）洎公爲之則又操道德爲根本總禮樂爲冠帶以易之精義詩之雅訓春秋之襃貶屬之於詞故其文寬而簡直而婉辯而不華博厚而高明論人無虛美比事爲實錄天下凜然復覩兩漢之遺風善乎中書舍人崔公祐甫之言也曰常州之文以立憲誡世襃賢遏惡爲用故議論最長其或列於碑頌流於歌詠峻如嵩華浩如江河若贊堯舜禹湯之命爲誥爲典爲謨爲訓人

皆許之而不吾試論道之位宜而不陟誠哉公諱及字至之祕書監府君第四子道與之粹天付之德聰明博達剛毅正直中行獨復動靜可則仁厚積爲大本文藝成乎餘力凡立言必忠孝大倫王霸大略權正大義古今大體（自凡立至大體二十字從嘉靖本補入）文中雖波騰雷動起伏萬變而殊流會歸同致于道故於賦遠游頌嘯臺見公放懷大觀超邁流俗於仙掌函谷二銘延陵論八陣圖記見公識探神化理合權道於議郊祀配天之禮呂諲盧奕之謚見公闡明典訓綜覈名實若夫述聖道揚儒風則陳留郡文宣王廟碑福州新學碑美成功旌善人則張平原頌李常侍姚尚書巖庶子韋給事韋穎叔墓誌鄭氏孝行記李睢陽楊懷州碑纂世德貽後昆則先祕監靈表陳黃老之義於是有對冊文演釋氏之奧於是有鏡智禪師碑論文變損益於是有李遐叔集序稱物狀之美而暢其情性於是有琅邪谿述盧氏竹亭記抒久要於存歿之閒則祭賈尚書相里侍郎元郎中李叔子文（自盧氏至子文二十九字從嘉靖本補入）其敘一事

紀一物一篇一詠皆足以追蹤往烈裁正狂簡噫天其以述作之柄授夫子乎不然則吾黨安得遭遇乎斯文也初公視肅以友肅仰公猶師每申之話言必先道德而後文學且曰後世雖有作者六籍其不可及已荀孟朴而少文屈宋華而無根有以取正其賈生史遷班孟堅云爾惟吾子可與共學當視斯文庶乎成名肅承其言大發蒙惑今則已矣知我者其誰哉遂銜涕爲敘俾來者有以觀夫子之志若立身行道終始出處皆載易名之狀故不備之此篇

題柳柳州集後　司空圖

金之精麤效其聲皆可辨也豈清於磬而渾於鐘哉然則作者爲文爲詩才格亦可見豈當善於彼而不善於此邪愚觀文人之爲詩詩人之爲文始皆繫其所尚所尚既專則搜研愈至故能衒其工於不朽亦猶力巨而鬬者所持之器各異而皆能濟勝以爲勍敵也愚嘗覽韓吏部歌詩累百首其驅駕氣勢若掀雷抉電奔騰

於天地之垠物狀奇變不得不鼓舞而徇其呼吸也其次皇甫祠部文集外所作亦爲遒逸非無意於深密蓋或未遑耳今於華下方得柳詩味其探搜之致亦深遠矣俾其窮而克壽抗精極思則固非瑣瑣者輕可擬議其優劣又嘗覩杜子美祭太尉房公文李太白佛寺碑贊宏拔清厲乃其歌詩也張曲江五言沈鬱亦其文筆也豈相傷哉噫後之學者褊淺片詞隻句不能自辨已側目相詆訾矣痛哉因題柳集之末庶俾後之詮評者罔惑偏說以蓋其全工

唐大理評事楊君文集後序　柳宗元

贊曰文之用辭令褒貶導揚諷諭而已雖其言鄙野足以備於用然而闕其文彩固不足以竦動時聽夸示後學立言而朽君子不由也故作者抱其根源而必由是假道焉作於聖故曰經述於才故曰文文有二道辭令褒貶本乎著述者也導揚諷諭本乎比興者也著述者流蓋出於書之謨訓易之象繫春秋之筆削其要在

於高壯廣厚詞正而理備謂宜藏於簡冊也比興者流蓋出乎虞夏之詠歌殷周之雅頌其要在於麗則清越言暢意美謂宜流於謠誦也茲二者考其旨義乖離不合故秉筆之士恆偏勝獨得而罕有兼者故有能而專美命之曰藝成雖古文雅之盛世不能並肩而生唐興已來稱是選而不怍者梓潼陳拾遺其後燕文貞以著述之餘攻比興而莫能極張曲江以比興之隙窮著述而不克備其餘各探一隅相與背馳於道者其去彌遠文之難兼斯亦甚矣若楊君者少以篇什著聲於時其炳耀尤異之辭諷誦於文人滿盈於江湖達於京師晚節徧悟文體尤邃序述學富識遠才涌未已其雄傑老成之風與時增加既獲是不數年而夭其季年所作尤善其爲鄂州新城頌諸葛武侯傳論餞送梓潼陳衆甫汝南周愿河東裴泰武都何義府泰山羊士諤隴西李練凡六序廬山禪居記辭李常侍啟遠遊賦七夕賦皆人文之選已用是陪陳君之後其可謂具體者歟嗚呼公既悟文而疾既即功而廢廢不逾

年夭病及之卒不得窮其工竟其才遺文未克流於世休聲未克充於時凡我從事於文者所宜追惜而悼慕也某以通家修好幼獲省謁故得奉公元兄命論次篇目遂述其制作之所詣以繫於後

注愍征賦後述　司空圖

武宣之間籍顯地者雖無如梁韓數公以雅實自任而能振拔後進然士大夫宴遊之倦猶或時道文學以佽助執事者而盧君尚以讒擯致憤於累千百言亦猶虎之餌毒蛟之飲鏃其作也雖震邱林鼓溟漲不能快其咆怒之氣且科爵之設是多得於彼而少喪於此侈其虛而歉其實彼或充然自喜而又以拱默相持留不知日月沒於晷刻之間蠅翔而螢腐耳然則著明孝於棄黜而能以愍征爭勍於千載之下吾知後之作者有歐血不能逮之者矣其所得何如於彼哉且上至聖哲下至豪特之士得於文學者多矣豈以一靈運之狂而可沮辱天下之奇偉哉況面牆而悖謬者

何翅於此邪愚前述雖已悉道其遒壯悽豔矣而終不能研其方外之致以是擲筆狂叫寄之他生又嘗著濯纓引以雪詞人之憤其旨亦屬於盧君且凡稟精爽之氣是或有智謀超出羣輩一旦憤抑肆其筆舌亦猶武人逞怒於鋒刃也俾其無所控告驅於讎敵必貽國家之患矣然則據權而蔽善者得不常以此危慮哉

文粹卷第九十三

文粹卷弟九十四

吳興　姚鉉　纂

序四 總一十首

大衍厤序　張說

特進集賢院學士修國史上柱國燕國公臣說言厤者先王以明時授人敬天育物者也辰極恆居斗運不息晦朔相推而變月寒暑往來而成歲日月右轉周天之度啟星辰左旋正時之氣合積餘分而置閏配甲子而設蔀鳳鳥爲司曆人受職分分而加之者百鈞必過豪豪而減之者千里必差何則古法存而其人異也不有大聖孰能起之伏惟開元神武皇帝陛下欽崇天道昚徽月令受命再新改制創厤十有三祀詔沙門一行上本軒頊夏殷周魯五王一侯之遺式下集太初至于麟德二十三家之衆議比其異

同課其疏密或前疑而後定或始會而終乖振古未採之象必發揮於神算大鈞不測之氣盡覼縷於天聰洒更審晷度之短長覆星閒之廣狹繩九道之朓朒糾五精之進退參大衍天地之數綜八卦六爻之序一轍於文王也覈春秋交蝕之辰研九疇五紀之奧同符於孔子也杼軸萬象優游四載奏草朝竟一行夕落臣說奉詔金門成書冊府先有理麻陳景善算趙昇首尾參立之言接承轉彎之意因而輯合編次勒成一部名曰開元大衍麻經七章一卷長麻三卷麻議十卷立成法十二卷天竺九執麻一卷古今麻書二十四卷略例奏章一卷凡五十二卷所以貫三才周萬物窮數術先鬼神稱制曰者卽聖人顧訪之旨標謹桉者是麻家進對之詞非軒后至聖不啟履端之業非容成詣極不就歸餘之經據其圖也七政之天心不遠守其術也千歲之日至可知葢中黃之寶符太紫之神器者也謹以十六年八月端午赤光照室之夜

皇雄成紀之辰當一元之出符獻萬壽之新麻伏望藏之書殿錄於紀言掌之太史頒於司麻制曰可

地誌圖序　呂溫

廣陵李該博達之士也學無不通尤好地理患其書多門歷世寖廣文詞浩蕩學者疲老由是以獨見之明法先聖之制黜諸子之傳記述仲尼之職方會源流考同異務該暢從體要綽然勒成一家之說猶懼其奧未足以昭啟後生乃裂素爲方儀據書而圖畫隨方面以區別擬形容之訓解命之曰地志圖覩其粉散百川縈凝羣山元氣剖判成乎筆端任土之毛有生之類大鈞變化不出其意然後列以城郭羅于陬落內自五侯九伯外洎要荒蠻貊禹迹之所窮漢驛之所通五色相宣萬邦錯峙豪釐之差而下正乎封略方寸之界而上當乎分野乾象坤勢炳焉可觀與夫聚米擬其端倪畫地陳乎梗槩固不可同年而語其詳略也每虛室燕居薄帷晴褰普天之下盡在屋壁戶納四海窗籠八極名山大川隨顧奔走殊方絕域舉意而到高視華裔坐橫古今觀帝王之疆理

見宇宙之寥廓出遐入幽曾不崇朝與夫役形神於歲月窮轍迹於區外又不可並軌而論勞逸也且夫刪百代之弊綜羣言之旨繁而不亂疏而不漏才識以潤之丹青以炳之使嗜學之徒未披文而見義不由戶而覩奧斯訓導之明也窮地而述與世而載事極鴻纖理通皦昧混一家之文軌張大國之襟帶覈人物之虛實總山川之要會表皇威之有徵明王道之無外斯乃功用之大也見蒼梧塗山則思舜禹卹民之艱覩窮荒大漠則悟秦漢勞師之弊覽齊疆晉壤則想桓文勤王之霸觀洞庭荆門則知苗蜀恃險之敗王者於是明乎得失諸侯於是鑒乎興替斯又懲勸之遠也然則本之所以廣學流申之足以贊鴻業垂之可以示後世豈徒由近觀遠以智自樂爲室中之一物哉而時無知音道不虛行舉地成圖聞天無路此志士儒林所以爲之歎息也某久從君遊辱命序述庶明作者之意俾好事君子知其所以然

導引圖序

梁肅

氣之貫萬物也盛矣本乎天者資之以生本乎地者資之以成古之善爲道者知氣之在人不利則鬱鬱則傷性伐其命而不可援也於是乎張而翕之導而引之熊經鳥伸吐故納新使流於六藏暢於四支浹於肌膚之會固其筋骸之束然後百病不生耳目聰明可以保神可以盡年和之至也故歧伯得之爲軒轅師廣成子得之千二百歲而身不衰彭祖得之上及有虞下及五霸後學得之隱名山而遊人間壽考者不可詳而計矣原其所出皆以歧伯爲祖有浮山隱居朱少陽者得其術於黃帝外書又加以元化五禽之說乃志其善者演而圖之被以章目凡三篇究其所由葢久視之門戶樞之善喻者也少陽年涉期頤神氣轉壯每至虛空之中自試此法或屈或伸或盤或旋或迴互翕闢終日不倦每振寂郵肯綮之際必砉然嚮然用力甚微而合於桑林之舞此又技之甚尤異者也暇日以所述示予予喜而序之以寘篇首俾博覽者以知還年之一路道者之雅戲云

觀石山人彈琴序

天寶中言雅樂者稱馬氏琴石侯嘗得其門而入矣故其曲高其聲全余常觀其操縵味夫節奏和而不流澹而不厭凜其感人而忘夫佚志已而謂余曰鄙夫徒能彈之而至和樂獨善其身足使情反乎性吾聞其語矣未辨其方也敢問何爲而臻哉古之聰明睿智其能爲乎余愀然曰善乎夫子之問是道也吾嘗聞諸師矣夫人生無其節則亂故聖人道之天和作樂以救之於是乎有五弦之琴以暢五音以協五行以宣五常以紀五事後世聖人以爲五弦備其本而未行其變變而裁之莫先乎文武之用於是究夫剛柔復益其弦者非他也文武之道也亦猶八卦既列復因而重之然後既可以動天地而鼓萬物盡變化而感鬼神極聖人之能事反百慮於一致此琴之以爲貴也故虞帝以之乃歌南風禹湯以之而作夏頀周文武以之萬邦協和卜代三十成康以之刑措不用仲尼以之見文王之象而樂正雅頌各得其所若琴道不行則君子之道消而王澤不下故殷紂失之而棄河海幽厲失之而周道中絕晉悼失之師曠一彈而國大旱琴之興廢與理亂相並夫備殷薦以配祖考肅相庶幾神降則不可廢於郊廟矣若夫和平其志氣暢達於動用使邪物不接則不可廢於律度矣故自有國有家下逮于庶人莫不尤重焉君子所居於是有左琴右書士無故不徹葢謂是也周穆載雲和空桑龍門之琴禹貢嶧陽之桐以爲之歷代善琴之士與幽蘭白雪之號則吾子其自知已夫何言哉問曰若如所云則今之爲琴者多矣君子之風何其未扇歟對曰琴樂之雅者也雅者正也正者謂能宣正其聲而行正道今夫鄭衛之移人久矣其人或正則其位未大其位未大故正聲未被君子風薄不其然乎夫雅樂之所貴者豈取清商流徵不失度曲而已彼各有所起也言畢石君善之俾予紀其辭遂號爲序云

房千里

骰子選格序

古之敘班位列爵祿非獨以治萬民總百事且用以別白賢不肖

堯爲君舜爲相其下有共鯀焉成王爲君周公爲相其下有管蔡焉舜周公之貴非幸也宜也共鯀管蔡之殛放非不幸也宜也故賢者宜進之雖已貴益其祿厚其爵不爲幸不肖者宜退之雖已賤奪其廩削其秩不爲歉由是人用自勵遷善去惡強者自篤後代衰微升于上者不必賢沈於下者不必愚得不必功失不必過賢者知其善不足恃恥比肩而趨故賢未嘗進不肖者知其惡不果棄惟奮臂而逞故不肖未嘗退有賢者退人雖心知之卒無柰何且曰非人也命也有不肖者進人雖心知之又無可柰何亦曰非人也命也以是善不勸而惡不悛卒曰付諸命而已矣果如是聖人所謂仁誼忠信者何足道哉姑徵其有命無命爾悲夫斯後代之不可復古豈不由是也開成三年春予自海上北徙舟行次洞庭之陽有風甚急繫船野浦下三日遇二三子號進士者以六骰雙雙爲戲更投局上以數多少爲進身職官之差數豐貴而約賤卒局座客有爲尉掾而止者有貴爲相臣將臣者有連得美名而後不振者有始甚微而欻升于上位者大凡得失酷似前所謂不繫賢不肖但卜其偶不偶耳達人以生死爲勞息萬物爲一馬果如是吾今之貴者安知其不果賤哉彼眞爲貴者乃數年之榮耳吾今貴者亦數刻之樂耳雖久促稍異其歸於偶也同列禦寇敘穆天子夢遊事近者沈拾遺述枕中事彼皆異類微物且猶竊爵位以加人或一瞬爲數十歲吾果斯人也又安知數刻之樂果不及數年之榮邪因條所置進身職官遷黜之目爲骰子選格序

序棊　柳宗元

房生直溫與余二弟遊皆好學余病其確也思所以休息之者得木局隆其中而規焉其下方以直置棊二十有四貴者半賤者半貴曰上賤曰下咸自第一至十二下者二乃敵一用朱墨以別焉房由是取二豪如其第書之既而抵戲者二人則視其賤者而賤之貴者而貴之其使之擊觸也必先賤者不得已而使貴者則皆慄焉惛焉亦鮮克以中其獲也得朱焉則若有餘得墨焉則若不

足余諦眡之以思其始則皆類也房子一書之而輕重若是適近其手而先焉非能擇其善而朱之否而墨之也然而上焉而上下焉而下貴焉而貴賤焉而賤其易彼而敬此遂以遠焉然則若世之所以貴賤人者有異房之貴賤茲棊者歟無亦近而先之耳其有果能擇其善否者歟其敬而易者亦從而動心矣有敢議其善否者歟其得於貴者有不氣揚而志蕩者歟其得於賤者有不貌慢而心肆者歟其所謂貴者有敢輕而使之擊觸者歟其所謂賤者有敢避其使之擊觸者歟彼朱而墨者相去千萬且不啻有敢以二敵其一者歟余墨者徒也觀其始與末有似棊者故敘

師子贊序　張九齡

夫德之所感者深物之所懷者遠中國有聖占候而自來四夷不王征伐而難致故絕域有來貢沒羽諸侯有不入苞茅舉其大凡不在遐邇頃有至自南海厥繇西極獻其方物而師子在焉爾雅所謂狻猊如虦貓食虎豹今之所見信然絕猛者也其天骨雄詭

材力傑異得金精之剛爲毛羣之特仡立不動而九牛相去眈視且瞋則百獸皆伏所以肉視犀象孩撫熊羆其餘瑣細不置牙齒我天子示柔遠之義國無不庭有服猛之威物無難制故其受羈紲伏閑阜馴而爲用鋒莫可當然吾君所存義不謂此蓋蠻夷君長歲時貢獻或殊琛絕賮寶於內府或異獸奇禽擾於外囿皆其覲禮若中國之贄幣所不辭讓明異方之臣妾此則非有利物之心充耳目之翫好以爲懷柔之道示天地之含容不其然歟固無得而稱也義異獒犬豈勞召公之訓美同赤豹何關韓侯之詩凡我侍臣咸爲之贊

鷹鶻圖贊序

烏之鷙者曰鷹曰鶻鷹也名揚於尙父義見于詩鶻也迹隱於古人史闕其載豈昔之多識物亦有遺將今而嘉生材無不出爲所呼之變與所記不同者邪然於羽族之中絕有豪傑之表氣感剛悍體倅銛鋒顧視之閒焯如也夫授以勁翮意不羣飛資其利觜

美在鮮食生有自然之精用無可抑人勢古之言武士洗更齊名比設者以其嚴若到飛若李廣家所於所可推不大權推設以衛勇不立垂枝以飛風節是鳥也向之擬議[illegible]與飛[illegible]飛[illegible]知飛二鳥以之爲用者[illegible]象武備以之爲用者不涉於怪也[illegible]其天姿有以見其風骨奇矣昔支遁嘗養駿馬自云重其神駿斯圖也非彼人之徒歟

八駿圖序　李觀

予嘗聞有周穆王八駿之說乃今獲覽斯圖雖淡騰虎文螭之流與今馬高絕異矣其名盜驪黃騮白義之屬也視其首則若排雲視舉足則若乘風有行馭之狀有矜奮之姿若日月之所不足至若天地之所不足周軒然疑然言其眞也實是降之精思其發也猶神扶其躡軌者如仙御者如夢將變化何所運

故世說周穆王駕八駿日會王母於瑤池從羣仙而遊按山海經崑崙山去中國三萬里乃非虛說也而不知其所從得之歟是生焉之梁用獵向古書無此川獸圖之首有精公遂及云秦漢傳之降于梁清至於皇車不沉爾迹在爾昭然苟哉信乎題云於古則人大笑矣來之於時則嘖世究由是知物有同者不必異有異者不必否或慮觀之者昧故爲序以表焉

荔枝圖序　白居易

荔枝生巴峽間樹形團團如帷蓋葉如桂冬青華如橘春榮實如丹夏熟朵如蒲桃核如枇杷殼如紅繒膜如紫綃瓤肉瑩白如冰雪漿液甘酸如醴酪大略如彼其實過之若離本枝一日而色變二日而香變三日而味變四五日外色香味盡去矣元和十五年夏南賓守樂天命工吏圖而書之蓋爲不識者與識而不及一二三日者云

文粹卷弟九十四